ぼく、SEやめて転職したほうがいいですか？

左門 至峰 著
Illustration 冬乃 郁也

日経BP

目次

目次

ぼく、SEやめて転職したほうがいいですか？

プロローグ　お世話になりました。

ぼく、後藤智彦34歳は　その日、退職願を出すと決めた。
12年間勤めた会社をやめるのだ。
自分の未来のために……。

ぼくがこの会社、大手メーカーの子会社でもある準大手システムインテグレーターのＸＴシステムズに入社したのは、ガラケーからスマートフォンへの転換期。アップルが時価総額で世界トップに君臨し、マイクロソフトやグーグルも上位に名を連ねた。情報系の学部ではなかったが、理系出身のぼくは、華やかなＩＴ業界に魅了された。大学の授業でプログラムの基礎を習い、自分でも簡単なプログラムを作って、それが動くということに面白さを感じた。

「智彦は、細かい作業が得意ねえ」
子供の頃から父の日曜大工を手伝ったりすると、母が褒めてくれた。プログラムは1文字でも間違えると動かないため、根気がいる作業だ。しかし、自分には丁寧に取り組む力があると感じ、プログラムを作る作業も苦にはならなかった。大学を卒業したら、システムを作って誰かの役に立ちたい、ならばシステムエンジニア、つまりＳＥになろう。そう思うようになっていた。

「あなたには向いていると思うよ」

学生時代から付き合っていた妻の美香も、そう言ってくれた。

若手社員の頃は、今思うとちょっと恥ずかしいくらい熱っぽく、たくさん話をした。

「今日は、先輩がぼくのコーディングの速さを褒めてくれた」

「顧客のトラブルを1人で直せたんだ」

「プロジェクトのチームリーダーに抜てきしてくれた。メンバーは3人だけどね」

「いずれは会社のナンバーワンＳＥになる。そして子供ができたら、自慢のパパになる」

そう話すぼくを、美香は、ニコニコに見守っていてくれた。

しかし、入社から12年がたち、その熱意は消え去りかけていた。自分がしたいことから遠ざかり、ただ目の前の仕事に翻弄され、忙殺されるばかり。しかも会社からの評価はいっこうに上がらない。主任に昇進したのは同期でも最後の方。後輩にも追い抜かれる始末だ。

「後輩が係長に昇進するんだ。追い抜かれてばっかり」

「ボーナス、今年はちょっと少ない。ごめんね」

お世話になりました。

「こんなんじゃ、自慢のパパになれる気がしない。どうしたらいいんだろう」

愚痴をこぼす自分に、妻は「給料なんて私は気にならない」「あなたはがんばってるわ」「今のままで十分だよ」と、優しく支えてくれた。しかしぼくの自己肯定感は下がる一方だった。

——誰からも評価されない仕事に意味はあるのだろうか?

——SEの仕事に、未来はあるのだろうか?

——ぼくは、本当は何がしたかったんだっけ?

——ぼくはSEに向いていないんじゃないか?

そんな疑問が頭をよぎり、日々の生活がモノトーンに染まっていく。

そして……。ついに今日、退職願を出すことを決意した。退職願は少し前に準備して、机の引き出しに入れてある。夕方、退社する時に服部課長に出せば、それで終わり。有給休暇を取ったり、残務を整理したりして、2カ月後にはこの会社を去る。そう考えるとすっと気が楽になった。

「これで自由になれるんだ。新たな道を切り開くんだ」

自分に言い聞かせるようにつぶやいた。

会社をやめたいと考えるようになった理由は大きく2つある。

お世話になりました。

１つ目は、大学時代の親友が転職して成功したこと。とてもうらやましく、焦る気持ちと、背中を押された気がした。もう１つは最近の人工知能（ＡＩ）の急速な進歩。この場所にとどまっていいのかと不安になった。

「ＡＩってそんなにすごいの？」

半年ほど前のある日の夕食時に、妻の美香が尋ねてきた。

「なにエーアイって。すごいの？」

３歳になる娘の渚（なぎさ）は、本当に無邪気でかわいい。

渚ににっこり笑いかけながら、「どうして急にＡＩの話？」と妻に尋ね返した。

「うちの会社でも社長が、ＡＩを一刻も早く導入しろって急に言い出して、社内がざわざわしてるの。それで会社でコンピューターに詳しい子に聞いたら、シンギュラリティーって言葉を説明してくれてね。ＡＩが人間を超える日がもうすぐくるって言うからちょっと不安になったの」

妻は時短勤務ながら仕事をしている。シンギュラリティーとは技術的特異点という意味で、ＡＩが人間を超える点という意味だ。一説には、２０４５年に起こるとも言われている。

「そんなに心配しなくても大丈夫だよ。ＡＩって言っても、現状はまだ拡張知能（オーグメンテッド・インテリジェンス）のレベル。人間の脳のように自ら考えることができる知能ではなく、人間の脳を拡張させるというか、分析能力を高めてくれる程度の知能でしかない」

「そうなの?だって、将棋や囲碁だと人間はＡＩに勝てないわよね。そのうち、東大にも受かるんじゃない?」

「たしかに、ＡＩは覚えさせれば覚えさせるだけ賢くなる。だから、東大の入試のパターンを莫大にインプットさせれば、受かるかもしれない。ただ、」

「ただ、なに?」

「あくまでも、人間が思考回路の基になるアイデアをコンピューターにインプットして作られているんだ。だから人間とはレベルが違う」

「うーん、よくわからないわ」

「東大に受かるために、膨大なデータを効率よく整理して答えを出すのはできるようになっているけど、人間のような斬新な発想をＡＩが出すことはできない。そこが人間の脳のような本当の知能と、ＡＩの差。あくまでもデータを整理して処理するだけ」

「ＡＩが勝手に考えるのではなく、人間の指示通りにＡＩが整理するってこと?」

「そう。だからＡＩといっても、非常に優秀なコンピューターに過ぎないと思っている」

「安心したわ。渚が大人になって、ＡＩのせいで仕事がなくなってしまっていたら、とてもさみしいよね」

お世話になりました。

「そんな日は来るわけないさ」

そんな会話をしていたのがつい、昨年の話。しかし、今やチャットで話しかければ、対話型の生成ＡＩが様々なデータを生成してくれる。資料や画像だけではない。プログラムの仕様を伝えると、勝手に書いてくれる。絵や小説、漫画まで創作し、賞まで獲得する。シンギュラリティーは20年後どころか、あと5年で来てしまうのではないか。

　また、ＡＩによって、ホワイトカラーの仕事の半分以上はなくなると言われる。ホワイトカラーと言えば、事務職やＩＴの技術職がその代表である。つまりＳＥの仕事だ。

　そして、今のぼくの会社は、相も変わらず顧客の要件や仕様書に基づいてシステムを開発する受託開発が中心。それもほとんどがまだオンプレミス、つまりサーバーを自前で設置するシステムだ。受託開発に重きを置くのは日本特有の文化で、世界の流れから大きく逸脱している。それに、オンプレミスではなく、もっとクラウドサービスを利用すべきだろう。こんな時代遅れの会社が、ＡＩを含めた最新技術をすぐに取り入れるなんてことは、まずないだろう。社長は親会社からやってきたアナログ世代の人間だ。

　ＡＩがさらに発展すると、要件さえ定義すれば自動的にプログラムを書いてアプリケーションを作り上げ、クラウド上でシステム構築までしてくれるはずだ。今のように、設計書を書いて、プログラムを作ってテストしてという仕事ではなく、ＡＩを活用して新しい時代に合った仕事のやり方をしなければならない。人間は将棋でＡＩに勝てないのと同様に、プログラムを書いてもＡＩには勝てない。この会社にいたって、ぼくに未来はない。

「パパ、渚と一緒にカレー作ってね」

退職願をいつ出そうか、心が揺れ動いていた昨晩、渚が無邪気に話しかけてきた。

「こら渚、パパは忙しいんだよ」

妻の美香がたしなめる。彼女はぼくが退職願を出そうとしているのを当然知っている。気を使ってくれたのだ。

「知ってるよ、パパはチョーかっこいい仕事してるもんね」

「うん、まあ、そうかな」

「お友達の心陽（こはる）ちゃんに、パパの自慢したんだ。パパはスマートフォン作ったんだって」

娘の前でかっこつけようと、以前に適当な嘘をついた気がする。

「そしたら、心陽ちゃんは、自分のパパのほうがかっこいいって言うんだ。だって、心陽ちゃんのパパは一緒にカレーを作ってくれたんだって。だから渚も、パパとカレーを作りたいの」

「渚が初めてカレーを作るのか。そりゃ楽しみだ。でも、お仕事があるから、日曜日まで待ってく

お世話になりました。

れないかな」

「やだやだ。今日作りたい」

「今日はもう寝る時間だよ。じゃあ、明日ね」

明日はプレミアムフライデー。みんな忘れているが、我が社もノー残業が推奨されている。それに退職願を出したあと、課長に理由を聞かれて無駄な時間を過ごす可能性がある。家庭の用事を入れてサクッと帰ったほうが気持ちも晴れやかだ。そうだ、それがいい。渚がぼくの背中を押してくれた気がした。

「パパ、約束だよ」

渚がつぶらな瞳でぼくをじっと見る。

「うん、わかった」

次の日の夕方。

「課長、ちょっとお話が……」

深呼吸をしてから服部課長の席に向かったが、退職願を懐に忍ばせたぼくの声はわずかに震えていた。

「ああ、後藤くん、ちょうどよかった。君も担当しているニューホームさんでシステムが止まるという大トラブルだ。場所はわかるね？　今すぐ向かってほしい」

待っていたのは、課長の早口の指示だった。

「トラブルですよね。あの案件は新庄じゃないと……」

「わかってる。新庄はアメリカ出張中でどうにもならん。誰かが行くしかない」

誰かって……、なんでぼくなんだ。

「大丈夫、五十嵐さんに応援に入ってもらう。ニューホームさんのビルで落ち合ってくれ」

「五十嵐さん？」

「うちのＯＢでな。できる人だ。ニューホームさんのシステムにも関わってたから中身も理解しているはずだ」

「ちょっと待ってください。ぼく、今日は用事があって」

「君しかいないんだ。書庫から設計書を取り出して、すぐ向かってくれ」


上司からの強引な命令。

しかし、それが出会いだった。

ぼくのエンジニア人生における、あるべき姿を示してくれた男、五十嵐優一との。

第1章 トラブル対応でSEはどう動くべきですか？

鉄則01 トラブル対応3大NGは「言い訳・食事・帰宅」

「後藤、泊まりの準備はしてきたか？」

エレベーターを待ちながら、五十嵐さんはそうぼくに尋ねた。身長１８０センチくらいの五十嵐さんは、そのワイルドな風貌も相まって隣に立つと圧がある。年齢は40代半ばくらいだろうか。初めて一緒に仕事をする相手であり、詳しいことはわからない。

しかし、今日は一緒にカレーを作ろうと娘の渚と約束している。退職願は出し損ねたが、仕事はさっさと片付けてなにがなんでも帰りたい。ぼくは五十嵐さんにそのことを伝えることにした。

「今日は、急いでトラブルを解決するか、暫定対処だけをして家に帰りたいと思っています」

「そりゃ、残念だ。今日はサーバー室に泊まることになりそうだな」

五十嵐さんはエレベーターの方を向いたまま、平然と答えた。

「……冗談でしょ。サーバー室って、めちゃくちゃ寒いのは知っていますよね」

そう言えなかったぼくは、ずれた眼鏡を指で押し上げ、勘弁してください、という表情を浮かべた。ＳＥは、徹夜作業になることもある。緊急事態であれば徹夜という選択肢もやむを得ないが、極寒のサーバー室は、寝るところではない。はっきり言って、無理がある。

五十嵐さんがぼくに聞いてきた。

「トラブル時にやるべきことってなんだかわかるか？」

「できるだけ早く直すこととか、誠意ある対応、ですかね」

「じゃあ。３つのＮＧってわかるか？」

「やっちゃいけないこと？　うーん……」

「教えてやろう」

五十嵐さんは上から目線で言ってきた。

「言い訳をすること、ご飯を食べること、家に帰ること。この３つだ」

言い訳はたしかによくないけど、ご飯を食べるとか、家に帰るとかって、トラブル対応に全く関係ないんじゃないか。五十嵐さんはできる人だって課長は言っていたけど、もしかして「変な人」なんだろうか。

「いいか後藤、だから、トラブル時にサーバー室で寝るのは鉄則だ」

この人は何を言っているんだ。話が飛躍しているし、論理性もない。

そんなわけのわからない鉄則は勘弁してほしい。あと、会社の先輩とはいえ、初対面のぼくに、もう呼び捨てだ。

ぼくはこっそり妻の美香にＬＩＮＥを送った。

『帰りが遅くなるかも。ごめん』

『それと、今日仕事のペアの五十嵐さんって人、ハズレっぽい』

妻の既読は、まだつかない。そのことに安心した。渚が残念がっているなんて話は聞きたくない。

「五十嵐さん、泊まる前提ではなく、トラブルを早く解決することを目標にしましょう。まだ18時前です。それか、暫定対処だけして、早めに帰りましょう」

五十嵐さんは、「ふふっ」と笑い、開いたエレベーターに乗り込んだ。

「トラブルはすぐに解決するのが一番だな。だが、状況を簡単に聞いた限りだと、今回のトラブルはサイバー攻撃の可能性もあり、そう簡単には解決しそうにない。そんなときは、サーバー室で寝ることが、仕事の8割だと思え」

最悪だ……。ぼくは心から、そう思った。そんなものが仕事の8割であってたまるもんか。やっぱり、五十嵐さんはハズレだ。

「徹夜したって得することありません。仕事は段取りよくやりましょう。そして、とりあえず今日は帰りましょう」

そう言いたかった。しかし、初対面の先輩である五十嵐さんに、そんなことを言えるはずもなく、言葉をのみ込んだ。

「後藤、泊まりの準備はしてきたか？」、
五十嵐さんは初対面でいきなりそう聞いてきた

長時間働くことを好む人にはよく出会う。口では「早く帰りたい」と言いつつ、いつも会社にいる人たちだ。服部課長はまさにそのタイプで、いつも遅くまで会社に残っている。先日も、夜遅く窓ガラスに映った課長のディスプレーには、トランプゲームが映っていた。本当に仕事をしているのか疑問に思う（っていうか、トランプゲームをしている時点で、仕事はしていない）。

課長の口癖は「忙しい」である。だが、実際には遅くまで会社に残って、自分が働いているように見せかけているだけだろう。五十嵐さんも、服部課長と同じタイプの人間なのかも……。

トラブルが発生したのは「ニューホームイノベーション」。中古住宅のネット取引を手がけ、急成長している会社だ。ぼくも以前からこの顧客の担当メンバーの1人だったが、対応が難しい人たちだった。ぼくがトイレを借りたと発覚した時に、「トイレはお前たちのためのものではない。掃除していけ」と叱られたこともある。その時は、言われた通りスーパーでトイレ掃除用品を買って掃除をした。しかも、2年ほど前に責任者が佐原重利部長に交代してから要求が一層厳しくなった。社内ではこの顧客との取引をやめるべきだという話もあったが、毎年3億円を超える売り上げはむげにはできない。会社は、ぼくの後輩で優秀な新庄隆志をメイン担当者に据えた。

後輩ながら新庄は本当に優秀だった。ぼくもプロジェクトのメンバーとして参画していたが、新庄はベンダーを自ら選定し、自ら指揮し、プロジェクトを次々に成功させていった。新庄はいつも

「後藤さんはゆっくりしててください」と言って、何から何まですべてやってくれた。感覚的には、新庄と彼のお抱えベンダーが99％の仕事をやっている状況だった。ぼくを含む他のメンバーが、佐原部長との仕事に積極的には関わりたくなかったのもある。次第にぼくの関与は減っていき、現状、我が社でこの顧客のシステム全体に深く精通しているのは新庄だけ。みんなが「新庄システム」と呼ぶ状況になった。

しかし、頼みの綱の新庄はアメリカのセキュリティーコンテストに出場していて不在。新庄がいないのは本当に痛い。責任者の服部課長は後から現場に向かうと言っていたが、「すぐに駆け付けるから」という言葉が怪しかった。そば屋の出前じゃあるまいし、きっと、来る気はないだろう。しかも、応援に来てくれたはずの先輩ＳＥは、徹夜する気満々だ。

とても切ない気持ちになったその時、妻からＬＩＮＥの返事が来た。

『わかった。がんばって』

その言葉に、若干の無念さが漂っている気がするのは、ぼくの気のせいだろうか？

『五十嵐さんって人、本当はいい人だといいね』

それはその通りだ。１つ確かなことは、五十嵐さんとここでケンカしても得はしない。きちんとコミュニケーションを取って、トラブルを解決しなければいけない。そうすれば、もしかしたら早く帰れるかもしれない。もしかしたら、だけれど。

エレベーターの到着を待つぼくは、五十嵐さんに話しかけた。コミュニケーションも仕事のうちだ。

「この会社、急激に伸びていますけど、悪い噂が多いんですよ」

「どんな噂?」

「社長のパワハラです。会社辞める人が続出って」

「本当か?」

「担当企業だからネットで調べたりするじゃないですか。『企業の業績』とか、『社員の年収』とか。あと、『会社の評判』も調べたら、社内の人間が書き込んだと思しき悪評が大量にありました。それも社長の悪口ばっかり……」

「あ、そう」

五十嵐さんは、そういう噂にはあまり興味がなさそうだ。ぼくはスマホでその悪評を検索した。

「これ、見てくださいよ。この会社の社長秘書だった山田光菜、みつなさんって読むのかな。亡くなったそうなんです。ネットではもっぱら社長のせいで自殺したって。正直、今から胃が痛いです」

「どれどれ」と言って五十嵐さんがスマホを見た。

「山田光菜さんって、本名までネットに出ているんだな」

その時、妻からの着信が入った。それと同時にエレベーターのドアが開き、五十嵐さんと中に入った。これ以降は顧客先で電話に出られない。今しかないと思って、電話を取った。

「もしもし」と小声で話しながら27階のボタンを押した。電話の向こうは娘の渚だった。

『ぱぱ。きょう、おうちかえれないってほんと？』

「ごめんね……約束したのに」

『ぱぱ、いつもいそがしいね』

渚の素直な言葉が、胸を締め付けた。

「ごめんね。渚、本当にごめん」

『こら。渚。パパを困らせないの』という妻の声が聞こえてきた。

『こっちは大丈夫だから。がんばってきて』

そんな言葉が聞こえてきて、電話が切れた。渚の『えー、かれー、作れないの？』という声が遠くで聞こえた気がする。

申し訳ない、そんな気持ちで心が真っ黒に染まった。

エレベーターが止まり、扉が開いた。きっと佐原部長はカンカンなんだろうな。「はぁ」と、思わず大きなため息が出た。

……ぼく、なんでＳＥになんかなったんだろう。

18時5分。ぼくの気持ちは、すでに最悪だった。

鉄則02 顧客には「すいません、すぐやります」とだけ伝えよ

エレベーターを降りると、目の前に会社の受付があった。誰もいなかったので備え付けの内線電話で事情を説明すると、警備員が出てきて会議室に案内された。

そこでは、我が社の滝下慶太が平謝りをしていた。滝下は後輩の営業担当者だが、強い人にはペコペコし、弱いものには強気。おかげで、ぼくとの仲はそれほどよくはない。

「佐原部長、本当に申し訳ございません」

顧客の情報システム部の責任者である佐原部長は、表情も言葉遣いも明らかに憤慨していた。

かつてシステムトラブルが発生した時に、「稼働率100%のシステムなんてあり得ません」と言い訳した滝下が、佐原部長にボコボコにされた光景が目に浮かんだ。あの時滝下は最後に、「稼働率100%を誓います」と泣きながら約束させられた。同席していたぼくは、顔を上げることができなかった。好きではない滝下だったが、見ていてつらかった。心が痛んだ。

ぼくたち2人は「到着しました」と告げられずに、しばらく立ち尽くして様子をうかがっていた。

トラブルが発生してからすでに2時間ほど経過している。いつ解決するのか、原因は何か、なぜ

すぐに直らないかなどと矢継ぎ早に問い詰める佐原部長に、滝下がアヤフヤな回答を続けていた。会話は完全に堂々巡りだった。ヒートアップした佐原部長は、どんどん厳しい言葉を投げかけた。

「本当にわかってるのか？　うちは1時間システムが止まると、売り上げが1０００万円単位でぶっ飛ぶ。お前たち損害を補償できるのか？　安月給のくせに……」

滝下は頭を下げながらも、同じ言葉の繰り返しにほとほと嫌になったのだろう。明らかにムッとした表情に変わった。

表と裏の顔を使い分けられるはずの滝下が、顧客にあんな表情をするなんて……。それほど抑えきれない怒りが湧き上がっていたのだろう。これは、危険な状況だ。悪い方向に進む予感がした。

すると五十嵐さんが滝下の前にすっと立ち、「すいません、すぐやります」と言った。

「誰だ？　お前は」

「ＸＴシステムズのＳＥで、五十嵐です。すいません。すぐやります」

五十嵐さんはぼくの背中をたたき、「後藤、行こう」と言った。そして滝下に「サーバー室に案内してくれ」と頼んだ。佐原部長はまだ話が終わっていないと怒鳴りかけたが、滝下は「すぐやります」と頭を深く下げ、ぼくたちとサーバー室に向かった。

「ふー、助かりました」と滝下はハンカチで汗をぬぐった。

「お疲れさま」と五十嵐さんがねぎらう。

五十嵐さんは歩きながら状況を確認した。

「滝下くんだっけ？　トラブルの状況を改めて説明してもらえる？」

「佐原部長の話だと、販売システムが今日の16時過ぎから急に調子が悪くなったようです。一般の利用者および社員が注文処理をすると、フリーズした状態になってそれ以上は進めなくなります。保守要員に頼んでサーバーを再起動すると一時的に直るけど、一般の利用者や社内からの注文処理が何件か入ると、また同じ状態で止まってしまいます。佐原部長から服部課長に連絡があったのが16時半です。私は17時ごろに到着したんですが、営業だからそれ以上の詳しいことはわかりません。とりあえず来ただけで、ただ怒られていただけです」

滝下は、この顧客の営業担当者なのに、自分が被害者と言わんばかりだ。

「それは大変だったな」と、五十嵐さんは優しい言葉をかけた。

滝下は急に立ち止まり、誰かに聞かれないようにと手で口元を隠しつつ「それと、大きな声では言いにくいのですが」と小声で話を始めた。

「販売システムが動かなくなると同時に、変なメッセージが表示されるんです」

そう言って滝下はスマホを見せてくれた。

「パワハラは絶対に反対というメッセージとともに、パワハラの通報サイトのリンクが出るんです」

「誰かが意図的に作らないと、そんなメッセージは出ないな」

「営業の私の勝手な想像ですが、この会社に恨みを持っているものによるサイバー攻撃かもしれません」

五十嵐さんがスマホをのぞき込んだ。

「珍しいサイバー攻撃だな。フィッシングサイトに接続して情報を盗むようなものかもしれないな」

「ただ、リンク先は正規のものらしいです。なので、情報搾取とかではないと思います。それと、ページの右下に数字を入れる欄があります。社員のほうがいろいろ試して、『３７８７』と入力するとメッセージが消えるらしいんです」

「パスワードみたいなものでしょうか」と、ぼくは言ったが、根拠はない。

滝下はわかりません、という表情をしながらスマホをカバンにしまい、五十嵐さんを見た。

「社員にこんなメッセージを表示させるのはまずいので、社長命令で、社員はほとんど帰りました」

「社長を恨んでいる人はたくさんいそうですし、なんだか怖くなってきました」

ぼくは両手を組んで震えるようなしぐさをした。

「とりあえず、サーバーを見に行こう」

そう言って五十嵐さんは歩き始めた。しかし、滝下が小さな声で言いにくそうに話しかける。

「申し訳ございませんが、私は帰らせていただきます。おふたりがいらっしゃるまで1時間、ここで足止めされていたので、仕事がたまっておりまして」

「えっ？　営業の滝下が帰ったら、顧客対応はどうするの！」

　思わず叫んでしまった。ぼくだって帰りたい。しかし、なぜか五十嵐さんがフォローする。

「滝下くんが忙しいって言ってるんだ。顧客対応はオレがやるよ。大変な客ではあるが、さっきもうまく切り抜けられたしな」

「切り抜けたって……、適当にごまかして逃げただけじゃないですか」

「まあ、たしかにオレは『すいません』『すぐやります』しか言っていない。でも、それでいいんだ。トラブル対応は解決することもあれば、解決しないこともある。だから、余計なことを言わずに、『すいません』『すぐやります』を言うだけでいい」

「そんなばかなことありますか？　トラブル時こそ、顧客に丁寧な説明をすべきだと思います」

「滝下くんは丁寧に説明をしていたけど、解決したか？　していないだろ？　現状が把握できていない状態で説明をしても、十分な説明はできない。話せば話すほどドツボにはまる。だから、中途半端な説明は避けて顧客からすぐ離れ、トラブル解決に専念したほうがいい」

「でも、すぐに解決しなかったら、その時は説明が要りますよね？」

「『すぐ解決します』とは言ってない。『すぐやります』だ」

「はあ……」

ため息をつきながら、ぼくは首を振った。

五十嵐さんはぼくの背中をポンポンとたたいた。

「まあ、とにかく前に進もう。行くぞ」

滝下は入室用のＩＣカードを五十嵐さんに渡し、額に右手を当てて敬礼のポーズを取った。

「中に運用保守業者の技術者がいるので、詳しいことはその人に聞いてください。では、お先に帰らせてもらいます」

「お疲れさん！」

五十嵐さんは笑顔で告げた。

滝下は申し訳なさそうな表情でエレベーターに向かったが、足取りは明らかに軽やかだった。そういえば、滝下にも小さな子供がいたのだと思い出したのは、エレベーターの扉が閉まり切った後だった。やられた！

鉄則03 焦っても無駄、「直らないこともある」と構えよ

滝下の姿が見えなくなるのを確認してから、五十嵐さんが「後藤は、滝下くんが嫌いか？」と尋ねてきた。

ぼくは心の中で、「五十嵐さんのこともあまり好きではありません」と思いつつ、それは伏せて、滝下に対する日ごろのいらだちを口にした。

「彼は大きな仕事が取れそうになると、自分の手柄にしようとしゃしゃり出るくせに、こういうトラブルになるとすぐに逃げるんです。どうせ会社に戻っても仕事をせずにすぐに家に帰ると思います。五十嵐さんは、なぜ、すんなり帰らせてしまったんですか？」

「本人が帰ると言っているのに、無理やりいさせても仕方がない。オレたちがやることは、トラブル対応だ」

「えっ。ぼくも早く帰りたいって言っていますけど」

「後藤が帰ったら、仕事が進まないだろ」

なんというダブルバインド！　そう思ったが、口に出すわけにはいかない。苦虫をかみつぶした顔をしていると、ぼくのスマホが鳴った。服部課長からのメッセージだった。急な接待が入ったから、来られないとのこと。ぼくは腹が立ってつい、「相変わらず、都合がいいんだから」と口にした。

「服部課長か？」

「そうです。急な接待が入ったって。どうせ、単なる飲み会ですよ。普通はトラブル対応を優先すると思います」

「いろいろと忙しいんだろ」

サーバー室の入り口には作業服を羽織った女性が立っていた。「運用保守会社の春村と申します。私もお手伝いさせてもらいます」

五十嵐さんは怒ることもなく冷静だ。その無関心な態度が、逆に腹立たしく感じられた。

「緊急事態なのに、営業や課長が逃げ出すって、なんか間違っている気がします」

「まあ、よくあることだ。たいしたことじゃない。心を落ち着けて受け流しておけ」

受け流そうと思っても、日ごろの彼らへの不信感で、こみ上げてくる怒りがどうしても抑えられなかった。ああ、渚！ 今ごろは泣いているんだろうか。それとも、怒っているんだろうか。

サーバー室の入り口には作業服を羽織った女性が立っていた。

「お疲れさまです」

滝下が言った保守業者の技術者だろうか。でも、まさか若い女性とは。

「運用保守会社の春村と申します。私もお手伝いさせてもらいますので、よろしくお願いします」

年齢は20代半ばくらいだろうか。地味な雰囲気で、首から写真付きのＩＤカードをぶらさげていた。作業服の下は地味な色のシャツ、パンツスーツ、そして動きやすそうな靴。まさしくＩＴ系の女性という感じだ。

「ＸＴの後藤です。それから、先輩の五十嵐さんです」

五十嵐さんは、「ハルナちゃんよろしく」とにこりとほほ笑んだ。2人が知り合いなのかと一瞬疑ったけど、ＩＤカードに「春村春菜」とフルネームが書かれてある。

名前に、春が2個もある。いや、それより、いきなり下の名前で呼ぶか？

そんなことを思っていたら、春村さんは無表情のまま「ハルナではなく、ハナです。あと、名字で呼んでください」と頭を下げた。

「あ、ごめんなさい」

五十嵐さんは舌を出した。

サーバー室の冷たい空調が体の奥まで染みわたる。大量のサーバーがズラリと設置されていることもあり、冷房はキツめだ。

「でも、五十嵐さんは、わりと平気そうですね」

「実はズボンとシャツの下にヒートテックを2枚重ねてる。もちろん靴下も二重、それに」

そう言って、五十嵐さんはカバンからダウンコートまで出してきた。

「カバンが大きいと思ったら、そんなのが入っていたんですか」

「トラブル対応時の基本だよ」

五十嵐さんの用意周到さに驚きつつ、ぼくも用意していた薄手のコートをカバンから出した。

「なんだ、後藤も準備してるじゃないか」

「はい、サーバー室の寒さは知っているので、荷物にならない程度のコートは準備してきました。

でも、このコートでは30分が限界です」

五十嵐さんは「だよな」と笑いながら、もう1つのカバンからパソコンを取り出し、準備を始めた。

「春村さん、ここのネットワークにオレのパソコンを接続したい」

「はい、準備します」

「長いLANケーブルなら持ってきたので使ってください」

ぼくはカバンからケーブルを2本出した。春村さんは「ありがとうございます」と言ってケーブルをスイッチングハブの空きポートに接続した。そして、もう一方の先を五十嵐さんに渡した。

「後藤、設計書を見せて」

「あ、はい。これです。こっちのUSBにはデータで入ってます」

そう言ってぼくはファイル2つとUSBメモリーを手渡した。

五十嵐さんはあまりの分厚さにため息をついた。この内容を理解するのはさすがに大変だ。

「ところで、この付箋紙は何？」

「ここまで来るタクシーの中で、トラブル対応に必要そうなところに付箋紙を付けておきました。途中までですが」

五十嵐さんは「ほう、やるじゃん」という表情を浮かべた。

「あと、運用と保守関連の資料もくれるか？」

「それは私が持ってます」

春村さんは持っていた袋の中からファイルを取り出し、パラパラとめくった。

「ここに、運用保守用のアカウント情報などが書いてあります。まずはサーバーにログインしてみてください。そして、それ以外にも必要な情報があれば、おっしゃってください」

春村さんはてきぱきと答えた。運用保守の担当者としては優秀な感じだ。

五十嵐さんが資料を見ると、そこには運用保守用のＩＤとパスワードが記載されていた。

「ＩＤとパスは共用なんだね。ＩＰアドレスは？」

「アドレスは、ＤＨＣＰなので自動で割り振られます」

春村さんはそう言いながら、ぼくの分のＬＡＮケーブルもスイッチングハブに接続してくれた。

「このシステムは、オレが会社を辞める前に少しだけ携わっていた。なんとなく覚えているんだけどなぁ」

「五十嵐さん、前はぼくの会社にいたんですよね？」

「おう、だからオレはお前の先輩な」

五十嵐さんは、先輩だから偉いんだぞ、そんな雰囲気を出しながら笑顔を見せた。

話を聞くと、６年ほど前に転職して、現在は独立して自分の会社を経営している。服部課長が五十嵐さんにトラブル対応の手伝いを頼んだというわけだった。

他にいい人はいなかったのかな？

そう思いながら、春村さんが準備したＬＡＮケーブルの先を自分のパソコンにつなぎ、ぼくも調査を開始した。

ぼくはこれまで、プロジェクトをいくつも成功させてきたし、ネットワークと製造系のシステムに関しては自信がある。トラブル対応も比較的素早く解決してきた。とはいえ、それは、自分の得意分野や自分が担当したシステム限定だ。今、障害が出ているこの顧客のシステムは、ネットワーク周りを部分的に知っているくらいで、他はほとんどわからない。

まず、現状を理解するところから始めよう。

ぼくは、パソコンに入れた設計書を見ながら、サーバーに接続してシステムの現状を理解することにした。そして、事象を再現して、どういう事象が起こっているのかを把握する。それから原因を突き止めて対処をしよう。ただ、このような大規模で、なおかつ他人が設計したシステムは現状を把握するのにも一苦労。解決にはかなり時間がかかりそうだ。新庄を呼び戻さないと、早期の対応は不可能な気がする。

思いあぐねながら、ふと五十嵐さんのパソコン画面を見ると、すでに事象を再現し、不審なメッセージを表示させている。

この人、思ったよりもできる人？

五十嵐さんはキーボードをカタカタと打ちながらも、「これは結構時間がかかりそうだな」と渋い表情をした。

「とりあえず正常に動くようにはできると思うけど、根本解決ができるかはわからん」

本当に？

この短時間の調査で、「正常に動くようにできる」と言えるのがすごい。五十嵐さんは、ただの徹夜好きではないのかもしれない。

「なあ後藤、滝下くんの話だと、この会社の社員はみんな帰宅してたよな。ということは今直すのも、明日の朝までに直すのも同じだよな」

「でも、直せるなら急いでやりましょうよ。顧客もお怒りですし」

「早く帰りたいか？」

「できれば」

娘の渚のためにも早く帰りたい。

だが、理由はそれだけではなかった。サーバー室という劣悪な環境も嫌だし、プレッシャーの中、厳しい顧客から言葉で追い詰められるのは嫌だ。先ほど、佐原部長に叱られていた滝下の姿を見ているだけでもつらかった。

「まあ、そうだわな。サーバー室という閉鎖された空間は、心理的にも追い詰められる」

五十嵐さんがぼくの気持ちを代弁してくれた。

「トラブル対応って、『絶対に直せ』って顧客が圧力をかけてきますから、焦りが出てきます」

ぼくがそう言うと、五十嵐さんは豪快に笑った。

「でも、なるようにしかならないんだ。焦っても仕方がないだろ」

「それって、言い方を変えると、直らなくても仕方がないということですか？」

すると、五十嵐さんは作業していた手を止め、ぼくの方を向いて答えた。

「そうだ」

何か問題があるのか？　といわんばかりの表情だ。

「じゃあ、直らなかったらどうするんですか？　顧客が困りますよね。ぼくは、今までやってきたトラブル対応では、システムエンジニアとして、高い技術を持って解決してきました。そういうものじゃないんですか？」

「その考え方は、自分自身を追い詰めるぞ。全力でやっても、直らない時があるんだから」

「五十嵐さんは、トラブルを直しに来たんじゃないのですか？」

「ちなみに聞くが、焦ってやったら直るようになるのか？」

「い、いや、そうではありませんが……」

これ以上言ったら、「だったら、お前が直せ」と言われて終わりだ。ぼくは黙り込んだ。

「『直らなくても仕方がない』と思った上で、直すように最善を尽くすのが大事なのさ」

そう言いながら、五十嵐さんは手を止めずに作業を続けている。

直らなくてもいい、そういう考え方もあるんだ。

五十嵐さんがハッキリと言ってくれたことで、ぼくの心にかかっていたプレッシャーが確実に和らいでいくのがわかった。

鉄則04 いかにして作業に専念できるようにするかを考えよ

五十嵐さんのコマンド入力は素早かった。オプションコマンドを検索することなく、次々と打ち込んでいく。大切なコマンドはすべて頭に入っているのだろう。

ぼくは、自身のエンジニアとしての能力はそこそこ高いと自負していた。だが、五十嵐さんとの圧倒的な能力の差を見せつけられ、無言でうなだれた。

今のぼくでは、何も役に立たない……。

内心打ちのめされつつ作業を続けていると、妻からのＬＩＮＥが届いた。

『渚には事情を説明しておいた。仕事がんばってね！』

妻のメッセージを読むと、心が救われた気になる。すぐに返信をした。

『ありがとう（スタンプ）』

『それと、五十嵐さん、意外にイイかも！』

そんな時、カバンを持った影が廊下に開かれたガラス窓をよぎった。

「あっ、佐原部長が帰られるみたいです」

時計の針はいつの間にか21時を回っていた。つい、ぼくらも帰れるんじゃないか、という期待をしてしまう。

「オレが話をしてくる。後藤はここで待ってろ」

五十嵐さんは真面目な表情に切り替え、サーバー室を出て佐原部長のところに向かった。話が長引くかと思ったが、会話はすぐに終わり、ぼくたちのところへ戻ってきた。

「佐原部長は帰宅するそうだ」

「では、ぼくたちも帰れますか？」

ぼくの存在意義が失われた今、すぐにこの場を去りたい。強い期待を持って五十嵐さんの顔を見つめた。

「いや、我々はここに泊まりますと伝えた」

ぼくはがっくりと肩を落とした。家に帰る最後のチャンスを失ってしまったのだ。

「佐原部長は明日の朝8時に出社するらしい。それまでに直せということだ」

「客のオレは家に帰る。お前たちは直しておけということですか。ネットで見た悪評の通りです」

「でも、顧客が帰ってくれたほうが楽だぞ、作業に集中できる」

「それはそうですが……」

ぼくはこの閉ざされた空間から出たかった。

「まあ、帰るのは諦めて、しっかり直そう」

ぼくは五十嵐さんに、1つ提案をした。

「こんな寒い環境で調査しなくても、ログを取得して、自分たちのオフィスで調査したら駄目ですか？　そして、明日の早朝から対応するとか」

「言ったろ、すぐには直らないトラブルも多々ある。そんなときはサーバー室で寝ることが大事だ」

「顧客へのパフォーマンスですか？　がんばってるぞっていう」

「もちろんそうだ」

はしくれであっても技術者を自負しているぼくは、五十嵐さんの考え方が気に入らない。

「五十嵐さん、そんなパフォーマンスなんかより、直すことに専念しましょう」

「専念するために、サーバー室に泊まり込むんだ」

「でも、五十嵐さん。極寒のサーバー室ではなく、事務所でやったほうが作業効率もいいと思います」

「なぜだ？　寒いのは後藤だけだろう。オレは防寒対策をしているから、気にならない。それに事務所への移動時間だってもったいない。物理サーバーが目の前にあるほうが作業効率はいいに決まっている。物理的なネットワークを組み替えるとか、インジケーターランプの確認もできる。遠隔で作業したら、サーバーがダウンした時に、電源をオンにすることすらできない。非効率だ」

そう言われると、反論できない。五十嵐さんの方が理にかなっている。

「わかりました。顧客へのパフォーマンスなら無意味だと思ったのでつい反論してしまいました」

「ただな、後藤。パフォーマンスもときには大事だぞ」

「がんばっているというアピールがですか？」

「直らなくても許してもらおうと考えているわけではない。どんなにがんばっても、直すにはある程度の時間がかかる場合がある。例えば、直すには翌日の夕方までかかるとする。つまり、明日の朝8時には直っていない。すると、顧客はどうなると思う？」

「佐原部長なら、とりあえず激怒するでしょうね」

「そりゃそうだ。社員が業務を開始するし、佐原部長の向こうにいるエンドユーザーからのクレームもくるだろう。すると、状況は最悪になる。30分とか1時間ごとに、とりあえず現状を説明しろとか、本当に直せるのかとか、暫定対処はないのかとか、特定の注文だけ処理させてくれとか、いろいろと注文を付けられる。それらへの対応に時間が取られ、トラブル対応に割ける時間が極端に少なくなる。結果的に、復旧するまでの時間が大幅に遅れる」

「『すぐやります』と言っても無駄ですかね」

「すぐすぐって、一体何時間たったと思っているんだ！　ってなるな」

「たしかにそうですね」

「そこでだ」と五十嵐さんが強調した。

「顧客にがんばっている姿を見せ、我々を信頼してもらうことが大事なんだ。『こんなに必死にやっているんです。ご飯も食べずに極寒のサーバー室で一睡もせずに作業をしています。夕方までに必ず直しますから、私たちを信頼してください。復旧作業に専念させてください』というメッセージなんだ」

エンジニアとしての論理性は感じない。しかし、五十嵐さんが言っていることは間違っていない気もしてきた。

ただ、徹夜が確定してしまった。

ああ、渚。パパには、謝ることしかできないよ……。

鉄則05 トラブル対応こそSEの華、成長機会と心得よ

「ところで、ぼくたちは外に出られるのですか？」

そう尋ねたぼくに、五十嵐さんが首を横に振る。

「いや、出られない。セキュリティーの関係で、全部施錠したらしい。だから、オレたちが何か盗もうと思っても、外に持ち出せない。まあ、盗む気はもちろんないけど」

「そんなことより、明日の朝8時まではここにいるということですか？」

「そういうことだ」

「ここに朝までいたら、寒くて死んじゃいますよ」

ぼくはつい、泣きそうな顔になった。

「大丈夫、社員しか入れない奥の休憩室の鍵をくれた。そこは暖房が入るし、自販機もあるから休憩できる」

うれしいやら悲しいやらよくわからなくなってきた。でも腹をくくり、朝まで作業するしか選択肢がない。

「わかりました。服部課長には、今夜はサーバー室に泊まることを連絡しておきます。どうせ、楽しそうに飲んでいると思いますが」

五十嵐さんは、次に春村さんを見た。

「春村さんは帰りな。急いで佐原部長を追いかければ、ここから出られるはず。あとはオレたちがやっておく」

五十嵐さんは親指を顔の近くで立てて、「任せとけ」という表情をした。

しかし、春村さんはそれを断った。

「私は残りますよ」

「どうして？　派遣元から残るように厳しく言われているのか？」

「仕事への責任感もありますし……」

「そうか。なかなか肝が据わっているな。泣きごとを言う後藤とは大違いだ」

ぼくは、キーボードを打つ顔を上げられなかった。春村さんは女性だから、きっと「帰る」って言うと思った。自分がなんだか情けない人間のように思われて少し恥ずかしかった。

「仕事ですから、なんとも思いません」

春村さんはキッパリと言った。

このままだと自分が悪者のままだ。つい、彼女に反論したくなった。

「でも、仕事といっても、楽しい仕事と嫌な仕事がありますよね」

「あまりそういう感情はありません。お金をもらっている以上、命令には従おうと思っています」

「後藤の負け」と五十嵐さんがジャッジをする。なんか、気に入らない。

「いいか後藤、嫌な仕事を『嫌』と思うとさらに嫌になる。『仕事にいい仕事も悪い仕事もない』、そう考えれば、苦痛じゃなくなる。ようは、物事は考え方次第ってことだ。だよね、春村さん」

「あ、そこまで深くは考えていませんでした」

春村さんは冷静に答えた。

五十嵐さんに負けと言われたので、これ以上反論をするのはやめよう。そして、これは仕事。そう、仕事なんだ。今日はもう帰れないんだ。

ぼくは妻に、『残念ながら、徹夜確定』とＬＩＮＥを送った。

五十嵐さんは春村さんのことが気に入ったみたいで、彼女にさらに話しかけた。

「春村さんは若いのに、悟ったような考え方だね」

「そうですか？」

「若いうちは多少の失敗が許されるわけだから、気持ちを押し殺さずに、自分の感情に従って行動をしてもいい気がする。そのほうが楽しいんじゃないかな」

春村さんは少し黙り込んだ。しばらくして、「私は私のスタイルで、単に作業を進めているだけです」と笑顔を見せなかった。なんとなくだが、ぼくたちに心を許していない気がする。

ぼくは春村さんに同調したくなった。

「五十嵐さん、トラブル対応みたいな嫌な仕事、モチベーションなんか湧きません。粛々とやるしかないです」

「そうかな。オレは、先輩についてトラブル対応の手伝いをした時は、楽しかったぞ。手伝いだからオレには責任なかったし」

五十嵐さんはパソコンに向かって作業をしながら、表情がイキイキしている。

「何が楽しいんですか？」

「トラブル対応は勉強になるからだ。ＳＥに必要なあらゆる力が求められるし、トラブル対応が的確にできるかどうかで力量が見える。トラブルを直すためには、原因調査能力や技術力が必要だし、顧客に対する説明資料の作成能力、そして、高いコミュニケーション能力や対応能力が必要だ」

「たしかにそうです」

そう言ってぼくと春村さんは、五十嵐さんの話をじっと聞いた。

「加えて、トラブル対応はチームでやったほうが効率的だ。チームをまとめる力、リーダーシップも必要」

五十嵐さんの話に、つい心を開かされた気分になった。五十嵐さんは親しみを込めた表情で話を続けた。

「できるＳＥは、プレッシャーの中でも先に言ったことができる。一方、駄目なＳＥは、段取りが悪く、いつまでたっても直せない。最悪な場合は、顧客を怒らせることになる。トラブルは直すことももちろん大事だが、それ以上に顧客との信頼関係を維持し続けることのほうがより大事なんだ」

「なんとなく、それはわかります」

「ただ、仮にすぐに直せなかったとしても、信頼関係が崩壊するとは限らない。信頼関係は別のところにあるからだ。そして、できるSEは、トラブル対応を機に、株を上げるものだ」

「さらに信頼を得る、ということですね」

「そうだ」

たしかに、トラブル対応というのは、最もSEの力が試される場だ。物事は考え方次第だ。どうせ朝まで帰れないのであれば、五十嵐さんの技術力・対応力を学ぼう。

五十嵐さんは春村さんを見た。

「春村さん、君の気持ちはわかった。無理やり帰ってもらうのも悪い。ただ、疲れたら休憩室で勝手に休んでいてくれ。オレたちのことは気にせずに」

「ありがとうございます」

春村さんの表情が少しにこやかになった気がした。五十嵐さんが言われた通り、トラブル対応はチーム一丸でやったほうがいい。彼女の力もぜひ借りて、このトラブルを乗り切りたい。

五十嵐さんは話をしながらもキーボードを打つ手を休めなかった。

しばらくして、五十嵐さんは、いくつかのコマンドを入力した後、エンターキーをトントンと2回たたいた。

「なんとなくトラブルの原因がわかったかも」

ぼくはうれしくなって「本当ですか？」と身を乗り出した。

「いや、まだ確定ではない。まあ、任せておけ、後藤、お前は休んでろ」

「五十嵐さん、そうはいかないですよ。ぼくもがんばります」

「変なところで真面目だな。真面目一辺倒でもモテないぞ。ね、春村さん」とぼくをからかった。

五十嵐さんは追い詰められたサーバー室であっても楽しそうに仕事をする。それは1つの才能かもしれない。

第2章 よい仕事をするSEはどこが違いますか?

鉄則06 プロジェクトリーダーには大ざっぱさも必要

五十嵐さんには休むように言われたが、素直に休むようなことはしたくない。技術的にできることが少ないと感じたぼくは、現状を整理することにした。プロジェクト管理では、ホワイトボードで状況を整理するが、サーバー室にはそんなものはない。カバンからA４の紙を取り出して並べ、そこにポイントとなるシステム構成図、ＩＰアドレスやアカウント情報などのパラメーターを記載していった。さらに、トラブルの事象や調査でわかったこと、今後のＴｏＤｏ（すべき作業）をそれぞれ別のA４用紙に記載することにした。

それと、サイバー攻撃の可能性を考えて、ネットワーク機器のログをすべて確認し、流れてくるパケットをキャプチャして常時監視できるようにしておいた。そして流れているパケットをたまにチェックした。

ぼくなりにトラブル対応の役に立ちたかった。

しばらくすると、五十嵐さんは、肩や首を回し、両手を上に挙げて、伸びをした。

「さすがに、この環境でずっと作業していると疲れてくるな」

「ずっと作業していますからね。ぼくに何かできることありますか？」

「じゃあ後藤、解析を手伝ってほしい。大きく3つあって、ネットワーク機器のログ解析、サーバーのログ解析、最後にメモリーフォレンジックだ。だいたいのことはオレがやったんだけど、ダブルチェックも兼ねての作業だ。やるべきことは作業リストとして整理した。頼めるかな」

「ネットワーク機器のログは、ぼくもすでに見ているので、作業リストを基に確認します。サーバーのログ解析も任せてください」

「お、すでにやってくれていたのか。意外に頼もしいな」

五十嵐さんの言葉は完全に上から目線だったが、それでも褒められたことがうれしかった。

「作業リストはここに入れた」

五十嵐さんが差し出したUSBメモリーを受け取ったぼくは、テキストエディターでファイルを開き、その内容を確認した。

「ネットワーク機器のログとサーバーのログ解析はできますが、メモリーフォレンジックはあまり経験がないので、調べながらやります。少し時間をください」

メモリーフォレンジックは動作中のサーバーのメモリーに保持されているデータの解析を意味し、動いているプログラムの挙動を調べられる。ぼくが知っているのはそれくらいで実際にやったことはなく、正直、五十嵐さんが作業リストに書いた指示の意味すらよくわからなかった。

メモリーフォレンジックなんて、普通のＳＥはやれないというかやらない。だが、ぼくなりの強がりで、できないとは言いたくなかった。

「じゃ、私がメモリーフォレンジックをやりますよ」

春村さんだ。

え、まさか春村さんが？　保守業者のエンジニアなのにそんなことまでできるの？

ぼくができなかったことを、平然とやってしまう。ぼくよりずっと年下なのに。なんとなく自分の立場がなかった。


ぼくは、五十嵐さんの作業リストに従って黙々と解析を進めた。

「なあ、後藤。面白い話を聞かせてくれよ」

五十嵐さんはパソコンで操作をしたまま、真面目な表情で言う。

「なんですか、急に」

「こういうときに、気が利いたトークができることも、ＳＥとして重要だ」

五十嵐さんは表情を崩して楽しそうに言った。だが、メモリーフォレンジックができなくて立場を失ったぼくへの優しさなのかもしれない。

面白い話なら、がんばればできるかもしれない。しかし、ぼくは柔軟な性格ではなく、社交性にもたけているわけではない。それでも、五十嵐さんがせっかく気を利かせてくれたので、何か話さ

ぼくは、五十嵐さんの作業リストに従って黙々と解析を進めた

なくては……。

　ぼくはしばらく考え込んで、こう聞いた。

「五十嵐さんの血液型は何ですか？」

「それが面白い話か」

「いいじゃないですか。さあ、さあ」とぼくは迫った。

「言いたくない」と五十嵐さんは表情を変えずに作業を続けた。

「あ、ぼく、わかったかも。五十嵐さん、O型でしょ」

　五十嵐さんの痛いところを突いた面白い話ができたと思い、ついうれしくなった。

「……血液型占いなんて、当たらないもんだ」

「そうやってムキになるということは、O型ですね」とぼくは確信した。

「O型だったら、どうっていうんだ。何か問題があるか？」

「システムは、正確さが大事です。プログラムでもサーバーでもネットワーク機器でも、1行でも間違えたら動かなくなります。A型が得意とする几帳面（きちょうめん）さが必要なんです」

「そういう後藤は、自販機でもお釣りを数えるA型か」

「あ、たしかにお釣りを数えます」

「細かい男は女にモテないぞー」

「モテるとかじゃなくて、ＳＥとしての話をしているんです」

血液型で人格が決まるなんてことは、論理的ではない。でも、あながち嘘とは言えない気もしている。それと、ぼくはA型であり、仕事への価値観が違うO型の五十嵐さんに、少し反発したい気持ちもあった。

「ぼくの妻が典型的なO型なんですけど、ＣＤやＤＶＤのケースと中身が合ってないんです。『あいみょん』のＣＤケースの中に、『ミスチル』が入ってるんです」

「それは大ざっぱな性格だな」

「『あいみょん』を聴こうとして、『あいみょん』のケースを開けるでしょ。でも、『ミスチル』が入ってる。普通は目的のＣＤを探すでしょ。でも妻は、まいっかという顔で、『ミスチル』を聴くんです。しかも楽しそうに。どう思います？」

「それって才能だろ。どんな状況でも楽しめる。そういう奥さんだから、後藤も幸せに暮らせているんじゃないのか？」

「そうかもしれませんが、ぼくもそのＣＤを聴くわけですから、ケースと中身は一致させてほしいなぁと。妻への唯一の不満ですかね」

「なんだよそれ。結局、のろけかよ。真面目に聞いて損したわ」

五十嵐さんはあきれた表情を見せた。

「妻の話はさておき、SEであれば、仕事は丁寧にすべきだと思います。同期でO型の佐々木も、資料がグチャグチャです。エラーログが出ていても、『動いていればいい』と全く気にしません。SEとしてはどうなのか、とは思います」

「佐々木って、後藤の同期入社の中では、出世頭じゃなかったっけ」

「そうなんですよ。人事はどこを見てるんでしょう」

佐々木の出世を好ましく思っていないぼくは、つい、不満を口にした。

あれ、でも、五十嵐さん、会社辞めてるはずなのに、佐々木の人事情報までつかんでいる。なんでそこまで知っているんだろうか。

「まあ、いくら几帳面なA型がO型に対して怒ったとしても、O型は何とも思わないんだけどな」

「そこがさらにO型のイラつくところです」

ぼくは佐々木のそういう態度を思い出し、本当に腹が立ってきた。

「でもな後藤、リーダーをやるならO型みたいな大ざっぱな性格のほうが向いてるよ。仕事の丁寧さはもちろん大事だけど、人を束ねる仕事では大ざっぱなくらいのほうがいい。細か過ぎると下のメンバーが嫌になる。それに、大規模なプロジェクトになると調整事項が増えてイライラも増える。ため込まないという点でも、多少雑に構えたほうがいい。お前なんかはむしろ雑にやるように心がけるくらいでちょうどいいんじゃないかな」

五十嵐さんにそう言われると、返す言葉が見つからなかった。

鉄則07 休息は仕事のうち、休めるときは休むことに専念せよ

ぼくのくだらない血液型の話が終わり、五十嵐さんと春村さん、そしてぼくは黙々と作業を続けた。

五十嵐さんのコマンド操作は見事だった。大量のエラーログを解析する際も、必要なものを見つけるためにＰｙｔｈｏｎ（パイソン）でサクッとプログラムを組む。非常に効率がよかった。

それから1時間弱、３人はパソコンの前で黙々とコマンドを打ち続けた。

しばらくして、春村さんは五十嵐さんにＵＳＢメモリーを渡した。

「途中経過ですが、私が確認したログなどを整理しました」

五十嵐さんはそれをパソコンに挿し、ファイルの中身を開く。内容を確認するにつれて、五十嵐さんの表情がみるみる明るくなった。

「なるほど。実は、なんとなくトラブルの原因がわかってきてたんだ。このファイル、とっても助かる。オレの仮説が正しいことの裏付けとして有効だ」

五十嵐さんに褒められて、春村さんは表情を緩めた。

「一部、ＡＩに任せましたけど」

そう言って春村さんが舌を出す。

「最近はＡＩが何でもしてくれるからなー。このトラブルもＡＩが直してくれるといいんだけど、それはちょっと無理だよなー」

ぼくも、自分が解析したログを整理してファイルにまとめ、ＵＳＢメモリーに入れて五十嵐さんに渡した。

「五十嵐さん、途中までの解析結果です」

ファイルを見た五十嵐さんは、春村さんの時と同様に笑顔を見せてくれた。

「お、考察がまとまってるじゃん、わかりやすい」

「ありがとうございます」

少しは役に立てて、ほっとした。

五十嵐さんはファイルを見ながら1人つぶやく。

「あ、そうか。なるほどね。３ウェイハンドシェークを確立させないＤｏＳ攻撃はログに残らないんだ」

五十嵐さんは、ぼくのまとめたファイルを見ながら何度も「なるほど」の言葉を繰り返した。

「よーし、だいたいわかった。気になるところもいくつかあるけど、まあいいだろう」

「五十嵐さん、解決できそうですか？」

「まだわからんが、オレができなければ誰にもできん」

「さすがですね。五十嵐さんが来てくださって本当に助かりました」

「それより、ちょっと休憩するか」

「でも、あと少しなら先に解決させてしまいませんか」

ぼくが提案したにもかかわらず、五十嵐さんはノートパソコンを閉じる。

「大丈夫だって。ほら、後藤もあったかい休憩室で体を休めろ。休むことも大事な仕事だ」

『休むことも仕事』というのは、ぼくにはなかった発想だ。しかし、人間が集中して作業できる時間は、1時間未満と聞いたことがある。一度リフレッシュすることで、集中力が高まるならそれも正解だ。幸い、今は佐原部長も見ていない。

「春村さんも行こう」

五十嵐さんはそう言って立ち上がった。

サーバー室を出て、廊下の突き当たりに休憩室がある。極寒の場所から外に出て、暖かい空気を吸う。ぼくは生き返った気がした。

休憩室の入り口にある電気をつけるとともに、「暖房を入れますね」とリモコンのスイッチを押した。ああ、暖かい。ここは天国かもしれない。

五十嵐さんは自販機の前に立ち、小銭を入れた。

「好きなの飲んでいいよ」

「気前がいいですね」

「先輩だしな。ただし出世返しな」

「ぼく、出世しそうな気はしないですけど」

そう言いながら、ボトル缶のホットコーヒーを選んだ。春村さんも「温かいお茶をいただきます」とボタンを押した。

休憩室には簡素な4人掛けのテーブルと椅子がある。五十嵐さんとぼくが対面になって座り、春村さんはぼくの横に座った。

「トラブルで追い詰められたとしても、休むことは大事だぞ。そして、休憩時には、休むことに専念すること」

五十嵐さんはそう教えてくれた。

「休むことに専念、ですね」とぼくは繰り返した。

五十嵐さんは、缶コーヒーをグビッと飲みつつ、「コーヒーってこんなにうまかったっけ？」と缶をまじまじと見た。

ぼくは、はーっと息を吐き出した。身体の奥からじんわり暖かさと、そして「幸せ」を感じる。ここでも、五十嵐さんが言っていた「物事は考え方次第」という言葉が頭をよぎった。トラブル対応でしんどいけど、これだけおいしくコーヒーが飲めることを、素直に楽しもう。

「ところで、春村さん、ご趣味は？」

五十嵐さんの顔は、明らかにニタニタしている。トラブル対応中とはとても思えない。

「五十嵐さん、合コンですか？」とぼくがからかったが、五十嵐さんは動じない。

「いいじゃねーか。さっき言ったろ、休憩時には、休むことに専念するんだ。それに、コミュニケーションは大事」

たしかにそういう前振りはあった。

春村さんは首をかしげながらも、「趣味は特にありません」とそっけない。

「あらそう。で、なんでこんなかわいい女性がコンピューターの仕事をやっているの？」

五十嵐さんは初対面の女性に平然と「かわいい」と言える。少しうらやましい気もする。ぼくはそんな気持ちを抑えて、冷静に忠告した。

「五十嵐さん、今の時代、『女性なのに』みたいな決めつけの発言は問題になります」

「相変わらず細かいなー、A型男は」

五十嵐さんは「お前は口を出すな」と手を払うしぐさをし、そして春村さんを見た。

「女性だからというわけではないが、先ほどの春村さんの解析は見事だった。書かれていた考察も的確でびっくりしたよ」

「お役に立てたなら、何よりです」

春村さんの表情が、最初に出会った頃と比べてずいぶん明るくなった気がする。

五十嵐さんはコーヒーを置いて、春村さんをたたえた。

「日ごろからこういう運用に慣れているからかもしれないが、ここまでの技術力をつけるのに、相当な努力をしたと思う」

「褒めていただくとうれしいです」

「たぶん、コンピューターの仕事が好きなんだよね？」

「私はあまり社交的ではないので、逆に、接客業とか営業的な仕事は得意じゃないんです」

「なるほど、消去法でSEね」

「でも私、コンピューターの仕事は好きです。私は未熟ですけど、皆さんみたいにバリバリ仕事ができたらかっこいいなって思います」

春村さんが少しずつ、自分の気持ちを話してくれるようになってきた。

トラブル解決には春村さんの力も必要だ。心を開いてくれるのはありがたい。

ぼくは思った。休憩時間を有意義な時間にしてくれたのは、やはり五十嵐さんのおかげだと。

鉄則08 「知らねーよ」と、鈍感力で平静を保て

その時、妻からＬＩＮＥが届いた。ぼくが先ほど送った『徹夜確定』への返答だった。

『やっぱりＳＥは大変だね。でもがんばってね』

うん、がんばる。美香と渚のためにも。

『渚は、ふてくされて寝てるけど、パパのことが好きだから大丈夫よ』

本当にごめんよ。でも、その気持ちは渚には届かない。

『五十嵐さんがよい人なんだったら、仕事のこととか、いろいろと聞いてみたら？』

それもその通りだ。つかみどころがない人だけど、技術力が卓越していて、プロジェクト経験が豊富である。トラブル対応というプレッシャーの中で、何を考えているのかも聞いてみたい。

ぼくは早速スマホをテーブルに置き、五十嵐さんに質問をした。

「五十嵐さん、トラブル対応は成長できると言ってましたよね。でも、プレッシャーはないんですか？　逃げ出したいとか……」

「そりゃ、あるよ。オレも一緒だよ」

意外な返事だった。

「そうなんですか？　プレッシャーを感じているんですか？」

「当たり前だ。後藤は、『合コンですか』とバカにしてたけど、明るい無駄話をしたりして気持ちを紛らせないと、プレッシャーで押しつぶされるわ」

「そんなふうには見えませんでした……」

五十嵐さんは、春村さんを見て言った。

「ちなみに、春村さんは？　今みたいなトラブル対応のとき、何を考えている？」

ぼくも春村さんを見つめる。いろいろな人の意見を聞いてみたい。

春村さんは、「私ですか？」と少し考えた後、「直すことに必死で、それ以外は何も考えていないと思います」と答えた。

「なるほどね。プレッシャーを感じるかは性格にもよるし、顧客やトラブルの重大さによっても変わる。ただ、一番違うのは、メンバーとしてのトラブル対応なのか、責任者としてなのかという立場の違いだ」

「立場、ですか」

「そう。誰かが『社長と副社長の差は、副社長と運転手の差よりも大きい』と言っていたが、それに似ている。トラブル対応の責任者になると、そのプレッシャーは半端じゃない。トラブルのことを考えるだけでなく、顧客対応やメンバーのケアも必要で、とにかく気が重い」

「本来であれば、五十嵐さんではなく、ぼくが責任ある立場です。実質、五十嵐さんに頼りっぱなしです。ごめんなさい」と、ぼくは両手をテーブルにつけて頭を下げた。

「まあ、気にするな。オレが責任を持ってやり遂げるよ。今回のトラブルは、事象が複雑過ぎる。後藤に責任を押し付けるのであれば、それは服部課長のマネジメントに問題がある」

「でも、プレッシャーの中でのトラブル対応、五十嵐さんはどうやって気持ちをコントロールしているのですか？」

「後藤、答えは人によって違うんだ。だから、自分で考えろ。ＳＥは自分で考えることが大事だ。まずはお前の考えを言ってみろ」

　春村さんの前で弱さを見せるのは恥ずかしいが、どうしても五十嵐さんのアドバイスが欲しい。思いきって、本音を話してみることにした。

「ぼく、人前ではあまり弱みを見せないようにしていますが情けないくらいプレッシャーに弱いんです。その性格を直したいと思い、『ここ一番に強くなる　プレッシャーへの対処法』といった本も何冊か読みました。父親に相談したこともあります。追い詰められたときどうしたらいいのかと」

「信頼できるお父さんだったんだな」

「そうです。尊敬できる父です。父のアドバイスなんですが、やるべきことを整理しながら紙に書き出すように言われました」

「なるほど、それでさっき、A４用紙で整理をしていたのか」

「はい、それも理由です」

「実際、ああやって整理することはとても大事だし、オレも後藤のメモを見ながら頭の中が整理できた」

「そう言っていただけてうれしいです。それに、やるべきことを書き出すと、ほとんどの不安が、根拠がないものであることや、焦っても何も解決しないことに気が付きます」

「実はオレも同じやり方をするときがある。全部書き出すと、それ以上は考えても仕方がないと思う。そして、作業のリストだけを見て、その作業だけに集中すると、余分なことを考えなくてもいい」

「ですよね」

五十嵐さんもぼくと同じやり方をするかと思うと、なんだかうれしくなった。

「でも、トラブル時は次々と予期せぬことが飛び込んでくる。新しいトラブルが発生したり、突然、顧客が変な要求をしたり、メンバーが調子を崩したり」

「そうですね、予定通りにはいかないものです」

「うまくいかないときは、次々と不運が重なることもある」

「最悪な状態ですね。そういうときは五十嵐さん、どうするんですか？」

「『知らねーよ！』って思ってる」

突然の言葉に、ぼくと春村さんは目を見開いた。

「し、しら……」

「『知らねーよ』だ。もちろん、心の中でだぞ」

ぼくにはイマイチ何を言っているかわからない。

「『いつ直るか?』って聞かれたら、『知らねーよ』。『何が原因か?』って聞かれても、『知らねーよ！』。『どうしてくれるんだ?』って詰められても、『知らねーよ』。こんな感じだ」

「え、そんなこと考えてたんですか」

「ああ。オレはいくつものプロジェクトリーダーをやって、地獄のようなトラブルもあった。１カ月たっても直らず、家にもほとんど帰れなかった時もあった。過労で入院したり、メンタル的に出社できなくなったメンバーもいたりした。責任も感じたし、たまに家に帰っても夜は眠れず、強い酒を飲むしかなかった」

「それはつらいです」

この五十嵐さんですら、酒に頼るしかないなんて、想像を絶する。

「でも、酒を飲んでも2時間おきに目が覚める。目が覚めれば、『あれをやらねば』、『でも、もしできなかったら』と悪いことばかり考えてしまう……。だから、後藤が言ったようにやることをリストに書き出して、やるべきことをやって、それで直らなくても仕方ないって思うようにしたんだ」

「なるほど……」

「そうでなければ、体も心も持たない」

「……たしかに」

「まあ、このあたりは人によるから必ずしも正解ではない。それと、『知らねーよ』と思いながらも、『全力で直したい』という気持ちは忘れていない。少なくともこれまでトラブル対応で逃げ出したり、手を抜いたりしたことは一度もない。頭の中で考える感情と、湧き上がってくる恐怖心は別だ。恐怖心が表面化しないように心を落ち着けて、トラブル対応に最善を尽くす。『知らねーよ』はトラブルを直すために大事な考えだと思っている」

ぼくは五十嵐さんの貴重な話を黙って聞いていた。

こんな考え方を持った人は初めてだ。とても勉強になる。

少しの沈黙の後、五十嵐さんは、ぼくの顔を見る。

「後藤は、真面目過ぎるところがある。真面目過ぎると、うまくいかないと焦りにつながる。そうなると、いい結果が出ない。トラブル時には、気持ちを冷静に保つことも、リーダーの大事な仕事だ。いわゆる『鈍感力』ってやつだ」

「五十嵐さん、プレッシャーに強そうですけど」

「そう見えるだけだ」と五十嵐さんが答えた。

「スーパーマンに見えます」

春村さんもぼくに同調した。

鉄則09 過剰品質は高くつく

「後藤は、いや、日本のSEは、もっと肩の力を抜いて、適当にやったらいいと思う」

そう言った五十嵐さんの言葉に、ぼくは若干、反発してしまう。それこそが、「肩の力を抜いていない」ということなのかもしれない。

「五十嵐さん、その『適当』って言葉が、ぼくは理解できないんです。たしかに、リラックスしてやることは大事だと思います。でも、設定を1行間違えただけでもシステムは止まってしまいます。バグがあっても、大きな問題になります」

「たしかにそうだ」

「であれば、おのずと真剣になります。全力で、かつ、集中して仕事をすべきだと思うんです。適当なんて気持ちには、なかなかなれません」

「なるほどね」

五十嵐さんは頭をポリポリかきながら、「若いなー」とつぶやいた。


その時、ぼくのスマホが鳴った。服部課長からのメッセージだった。サーバー室で泊まることを伝えた返事が、今ごろ届いたのだ。飲み会が終わった帰りのタクシーで、やっと気づいたのかもしれない。

『後藤くん、今日はそっちに行けず、悪かった。五十嵐さんは頼れる人だから、いろいろと相談に乗ってもらえ』

謝っているとはいえ、自分は何もせず、人に仕事を押し付ける。本当に無責任だ。

ため息をつくぼくに、五十嵐さんはフフッと笑った。

「服部課長か？」

「ええ。……まったく。服部課長は、『鈍感力』でいったら、我が社でナンバーワンですよ」

「ハハハ。あの人は昔からそうだからな」

「ほんと、その通りです」

ぼくは服部課長のことを思い出して、また腹が立ってきた。

「ところで、後藤、質問していいか」

「はい、なんでしょう」

「さっき、バグがあったらということを言っていたけど、システムにバグがあったら駄目か？」

「駄目に決まっているじゃないですか」

「バグがあるシステムを売るのは駄目か？」

「バグをつぶしてから売るべきです」

「じゃあ、バグをゼロにできるか？」

「それは……」

「後藤が言っていることは矛盾してないか？　バグがゼロにはならないまま、現実的には売ってるんだろ」

ぼくは返事に窮した。苦し紛れに、「バグがない完璧なシステムを求めて何がいけないのですか？」と強がってみたが、五十嵐さんの質問に答えていない。

五十嵐さんは顎をなでながら言った。

「日本のシステムは必要以上に完璧さを求める。でもな、海外のシステムやソフトは、バグや不具合もよくある。不具合があっても、『サービスパック』なんて、オマケするかのようなネーミングで、バグ改修のソフトを提供する」

「海外製品は品質がずさんですよね。日本では考えられません」

「だけど、オレはそのやり方に賛成なんだ」

ぼくが言葉を発しようとすると、「まあ、聞け」と五十嵐さんは手で制してきた。

春村さんも、うなずきながら五十嵐さんを見ている。先ほどから黙ってはいるが、五十嵐さんの話を興味深く聞いている様子だ。

「オレも、日本の品質重視を否定しているわけではない。当然、１００％の品質が理想だ。しかし実際には、１００％はあり得ない。そもそも99％の品質を99・９％するには莫大な作業量とコストがかかる。そこまでの品質向上が本当に必要なのか、甚だ疑問なんだ」

「でも、そこをやるのが日本人なんじゃないですか」

１００％を要求する佐原部長と同じことを言っている。口に出してから自分の矛盾に気が付いた。

「コロナ対応でも、一時期ゼロコロナを求める声が上がったな。でも、それは現実的には得策でないことを世界が学んだ。システムでも同じさ。完璧を求めることは無駄が多い」

「それはそうですが……」

「バグがあろうが、システムというのは、ＩＴ革命と言われるくらいに貢献してきた。システムは止まるもの。機械は壊れるもの。人間は間違えるもの。だから、システムに不具合は絶対に出る。バグがあったら、直せばいいだけだ。システムを作る側も利用する側も、そういう前提でシステムと向き合ったほうがいい」

「１００％の品質を求めないということですね？」

「そうだ」

「そういうマインドになりますかね？」

「考え方を変えるだけだろ」

「でも、システムを作る側には、『バグがあっていい』『適当でいい』と言われればメリットが多いですが、システムを使う側にはデメリットしかありませんよね？」

「そんなことはない。コストメリットが出る」

あ、そうか。たしかにそうだ。発注側の企業にとっては、不必要な品質以上に大事かもしれない。

「いいか後藤、システム開発において、『いい加減なシステム』と言えば怒られるが、『根幹となる部分以外は、適当でいい』という考えにしたとしよう。そうすると、システムの開発費は半分、ときに10分の1くらいにまで下がる。例えば、日常業務のツール化なんて、大部分がワードやエクセルのマクロでカバーできる。フリーのプログラマーに作らせたら、10万円くらいで結構いいものができる」

「ワードやエクセルの基本機能でも、かなりいろいろできますしね」

「ところが、例外処理をできるようにするとか、エラー処理をきちんとさせるとか、基幹システムとリアルタイムの連携などという点にこだわる。さらに、バグなしのシステムを要望する。結果的に費用が恐ろしく高くなる」

「10万円で作れるツールが、一気に何百万円のシステムになりますよね」

「そう。しかも、作る側は徹底的なバグつぶしはもちろん、ほとんど使わない機能まで作りこむ。そして、少しでも不具合が起こったなら、徹底的に怒られる。一体、誰が得をしているんだろうか」

「そう言われてみれば……。誰も使わない機能を必死で作るのって、むなしくなります」

「それに対して、フリーのプログラマーに頼んだツールというのは、信頼性で劣るから、たまに動かないこともある。でも、そんなときには、そのプログラマーに来てもらえば、すぐに直してくれる。『システムはいい加減であるべきだ』という価値観を持つこと、それが企業にとってもＳＥにとってもウィン‐ウィンになる」

「完璧を求めなくてもいいと考えると、作る側の精神的な負担も減ります」

「その通りだ」

五十嵐さんは優しい表情でほほ笑んでくれた。

妻の『仕事のこととか、いろいろと聞いてみたら？』という言葉を思い出した。カバンには退職願が入ったままだが、五十嵐さんの仕事に対する価値観を、もっともっと聞いてみたくなった。

鉄則10 イノベーションはインチキから生まれる

「だいたいなあ、これだけの先進国で技術大国の日本からいわゆるビッグテックのような世界に通用するＩＴ企業が生まれていない。これは非常に残念なことなんだよ」

五十嵐さんは、本当にがっかりした表情を浮かべる。ビッグテックは、グーグル、アマゾン、フェイスブック（現在の社名はメタ）、アップル、マイクロソフトなど米国の巨大ＩＴ企業のことだ。それらの頭文字を並べてＧＡＦＡ（ガーファ）とかＧＡＦＡＭ（ガーファム）とも呼ばれる。

「海外のエンジニアのほうが優秀ということですか？」

「いや、日本のエンジニアは優秀だ。後藤の会社もそうだし、他社も含めて、オレが出会うＳＥは優秀な人ばかりだ。なかには困ったやつもいるけどな」

苦笑する五十嵐さんに、ぼくも同じ顔をする。春村さんも苦い顔をしていた。それぞれに思うところがあるようだ。

「エンジニアの資質そのものは、アメリカにも負けていないとオレは思うよ。ただ、日本の完璧主義や組織的な不条理のせいで、自由に仕事ができない」

「なんとなくわかります。私もそうです。セキュリティールールや社内のくだらない報告や会議が邪魔です」

「お掃除ロボットは、日本では絶対に生まれなかったと言われている。小さい子が事故に巻き込まれるというリスクに対して、日本企業は責任を取れないんだ。お掃除ロボットによる事故はたしかに起こり得る。でも、動かないテレビや家電でも、倒れてきたら大けがをするし、事故が完全にゼロになることはない」

「リスクゼロはありませんね」

「自動車でも死亡事故は起きている。リスクを言い出したら、なにもできなくなる。そんなことは冷静に考えれば誰でもわかるはずだ。しかし、リスクに対して異常に厳しい風潮は、ますます強まっているように感じる」

「それは、日本人のメンタリティーなんでしょうか」

「そうかもな。ただ、1つ言えることは、異常なまでのリスクゼロへのこだわりや品質要求が、開発のモチベーションを奪っている」

「リスクに厳しいくせに、リスクある海外製品を『便利!』と使っているんだから、矛盾してますよね」

ほんとだよ、と五十嵐さんがつぶやき、春村さんもうなずいた。

「シリコンバレーのＩＴ企業の話を聞くと、自由に仕事ができて、ぼくはうらやましいです」

「海外のＩＴ企業はサービスの提供開始を何より優先する。最近は品質面でも優れているが、こういっちゃ悪いが、昔はバグや問題も多かった。例を挙げると、グーグルの『ストリートビュー』というサービスは、道路から他人の自宅を許可なく撮影して公開していた」

「たしか、プライバシーの問題などで、物議を醸しましたね」

「そうだ。リスクを排除してからサービスを提供するのではなく、まずサービスを開始し、細かいところは後から対処するという考え方だ。こんなサービスは日本ではできないだろう」

「たしかに……」

「日本の技術って、世界の最先端を行っていたはずだったのにな」

五十嵐さんがしみじみと言った。

たしかにそうだ。自動車だけでなく、半導体や家電においても、日本は世界一だったはずだ。日本で生まれ、日本が大好きなぼくは、少し寂しい気持ちになった。

五十嵐さんは、「だからこそ」、そう言って語気を強めた。

「システムはインチキであるべきなんだ」

「また、びっくりすること言いますね」

五十嵐さんの言うことは、ぼくの口からは絶対に出てこないような言葉ばかりで、感心してしまう。システムがインチキであるべきなんて、五十嵐さんに出会わなければ一生、思わなかっただろう。

「オレが考えたんじゃない。天才プログラマーの登大遊さんの言葉だよ。彼はインチキこそがイノベーションを生むと言ってる」

「インチキのほうがいいのですか？」

「今巨大になっている海外のＩＴサービスも多くは、学生や若手のエンジニアが小さなアパートの部屋やガレージの片隅で始めた。例えばアップルは、スティーブ・ジョブズがフォルクスワーゲンを売って資金を捻出し、ジョブズの自宅のガレージでパソコンを作り始めた」

「逆にかっこいいですね」

「たしかに。でも、そんなスタートアップ企業が作る製品なんて、最初はバグだらけだ。日本の品質管理を適用したら、とても世には出せない」

「ぼくもそう思います」

「だが、それがよかった。完璧じゃなくてもいいから世に出して、みんなが使い、そこからシステムを改善していった。そして、今のグーグルやフェイスブックなどのような巨大なサービスができ上がっていったんだ」

「日本だと、品質管理も厳しいですし、最近はセキュリティーの部署から厳しいチェックが入りますからね」

「オレは、肖像権などの法律に違反してもいいとか、セキュリティーが保たれていなくてもいいと思っているわけではない。バグがあるというほんの少しの迷惑で済むならば、どんどん世に出していけばいいと思う」

「なるほど。ぼくもそう思えてきました」

「だろ」

「それよりも、日本から新しいイノベーションが生まれないと聞くと、少し寂しいです」

「残念ながら、今の日本企業においては、イノベーションは簡単には生まれないだろうし、ＳＥも窮屈なだけだ」

「できるＳＥは、どんどん海外に出ていってしまっているのですか？」

ぼくはつい、新庄がアメリカで楽しくやっている姿を想像してしまった。

「そうだな。自由な働き方と、多額の報酬。そして自分の時間を持てる幸福。まあ彼らが日本に帰ってくることはないだろうな」

「……そうですか」

少なくとも新庄は日本に帰ってきてほしい。今すぐにでも……。

ぼくは、いろいろと不安になってきた。日本のＳＥに未来はあるのだろうか？　日本だけじゃない。ＡＩの登場により、世界中からエンジニアが不要になるのではないだろうか。

そしてぼくは、ＳＥを続けたいのだろうか。そんなことを考えていた時、五十嵐さんが言った。

「後藤。お前、会社をやめようと思ってるだろ」

「え……」

まさか、自分の心のうちを言い当てられるとは思っていなかった。

春村さんも、驚いたようにぼくを見ている。

「なんでそう思うようになったのか、聞かせてくれないか」

「私も、後藤さんのお話、伺いたいです」

五十嵐さんと春村さんが、笑顔でぼくを見つめてくれる。その優しさに、ぼくはつい泣きそうになってしまった。

渚。会社では誰も認めてくれないし、娘との約束も守れない。そんなパパでも、優しくしてくれる人はいるみたいだよ。

第3章 ＳＥはどうしたら出世できますか？

鉄則11 35歳定年説は過去、むしろそこからが勝負

「後藤の会社、最近は残業する社員がめっきり少なくなったんじゃないか。オレたちはトラブル対応だから仕事しているけど、みんなは今ごろ、楽しくお酒でも飲んでるだろ。もう飲み終わって家で休んでいるかもしれない。そんな時間からビールを飲める人生って、恵まれてるんじゃないか？」

「たしかに、昔とは変わったと思います。ぼくたちSEの仕事もずいぶんホワイトにはなりました」

五十嵐さんはため息をついて、「オレが若い時はひどかったな」と、過去をふり返るような遠い目をした。

「特に、システムの納品前数カ月は、終電時間イコール定時。ありゃ、おかしかった」

「ぼくが新入社員の時はまだその文化でした。残業代なんて、ほとんどもらえません。残業代の話をしたら『奉仕の心をもって取り組め』って。風邪をひいて『早く帰らせてください』と言ったら、上司から犯罪者みたいな目で見られましたね」

もう、苦笑いするしかない。

五十嵐さんは「それと比べて」と言う。

「今はどの会社もサービス残業が少なくなったし、ほどよい時間で家に帰れる。しかも、在宅勤務やフレックスだって導入されてるだろ？　いい時代じゃないか」

五十嵐さんはコーヒーを口にし、口元をハンカチでぬぐう。ぼくも、コーヒーをグビグビッと飲む。コーヒーの苦さが、自分の人生のほろ苦さに通じているようで、身に染みた。

「ニューホームは成長企業だけど、後藤の話だとかなりブラックなんだろ？　オレもスマホで調べてみたけど、たしかに社長のパワハラ話はあっちこっちに書かれてる。春村さん、それ本当なの？」

「ええ……まぁ本当です。例えば、社長秘書の女性がいました」

おそらくぼくがネットで見た人の話だ。そう思いながら、春村さんの話をじっと聞いた。

「一時期、会社の売り上げが急拡大するとともに、顧客とのトラブルが多発しました。中古物件を扱いますから、物件の状態や契約条件などについて、購入した顧客からのクレームを受けたのです。場合によっては裁判になったこともあります。クレームの矛先は社長にも向いたのですが、社長はすべての対応を秘書に押し付けました。真面目な彼女は毎日遅くまで仕事で残されました。裁判で負けた時には、何時間もみんなの前で罵倒されたそうです。それを人事部や総務部に訴えても、社長の権限が強くて変わらなくて。結局、会社も辞め、体も心も崩して……」

春村さんの目が潤んでいた。

出入り業者に過ぎない春村さんが、なんでこんなに詳しいのか、そして目が潤んでいるのかはわからない。しかし、そんなことより、この会社の社長はあまりにひどい。

春村さんの話を聞いて、しばらく沈黙が続いた。正確には、誰も何も言えなかった。

そんな重い空気の中、口を開いたのは五十嵐さんだった。

「そう考えると、後藤の会社は恵まれている。給料だって、サラリーマンの平均年収以上はもらっているはずだ」

「一応、それなりにちゃんと働いていますから」

「そう思う。今日のトラブル対応でも、自分ができることを見つけて、よくやっているじゃないか」

「今日のぼくは役立たずですが、普段はもっと活躍しています。五十嵐さんにもお見せしたいです」

「服部課長に聞いたぞ。後藤は真面目だし、しっかり働くって」

五十嵐さんや服部課長がぼくを認めてくれている。

とてもうれしい。でも……

「だからこそなんです」

ぼくは体を起こして、五十嵐さんの手を覆いかぶさるように握った。

「プログラムを書くのもサーバーを構築するのも、高度な技術が必要です。誰にでもできる仕事じゃありません。もっと給料が高くてもいいはずです」

五十嵐さんは、ポリポリと頭をかいた。

「それはぜいたくな要求だ。そんな理由で会社を辞めなくてもいいんじゃないか?」

「五十嵐さんは会社を辞めているじゃないですか」

「オレはさ、いい年齢だったからさ。後藤はまだ若い。焦って会社を飛び出すのは危険だと思う」

五十嵐さんは、ぼくとは辞めることに対する考え方も違うようだ。

「ＳＥの35歳定年説ってあるじゃないですか。どうせ転職するなら､早いほうがいいと思いました。ぼく、今、34歳なんです。今後の身の振り方を考えないといけません」

「35歳定年説か。ＩＴ業界は進化のスピードが速いのと、徹夜でプログラミングするなどの体力が必要だからという理由で、ＳＥは35歳までというのが昔の定説だった。でも、今はそんな時代じゃないよ」

「本当にそうなんですか？」

けげんな顔で聞くと、五十嵐さんはもっともらしくうなずく。

「今は40歳を超えてからの転職なんてざらだ。理由の1つは、ニーズがあること。ＩＴは今日、企業にとってなくてはならないインフラで、ＩＴが止まれば企業活動は停止する。それに、ＤＸ（デジタルトランスフォーメーション）という言葉が流行っているように、ＩＴは仕事や人々の生活を変革する力を持っている」

「ＩＴ業界は人材不足とよく言われていますよね。いい人材なら年齢は関係ないということですか」

「そうだ。それから、もう1つの理由が、年齢とともに活躍の場が広がるからだ。プログラマーだけでなく、年齢に応じてリーダー業務やプロジェクトマネージャーにシフトしていける。今はＣＴ

O（最高技術責任者）、ＣＩＯ（最高情報責任者）みたいな技術寄りのマネジメント役職もある。地位や報酬面でも昇り詰めることができる時代になった。このクラスで優秀な人なら引っ張りだこだ。50歳を超えてもいくらでも転職できる」

「ちなみに五十嵐さん、今いくつでしたっけ？」

「え、いくつに見える？」

五十嵐さんは楽しそうだ。

「そういうの、いらないんですけど」

ぼくが答えると、春村さんが苦笑した。「何歳に見える？」おじさんは、どこの会社でもいるらしい。

「じゃあ、言いたくない」と五十嵐さんが、すねる。まるで、子供だ。

「わかりました。考えます」

ぼくはしばらく考えて、五十嵐さんの顔をじっと見た。

「それなら……。若く見えますが、実はもう50過ぎとか」

「後藤、お前はバカか」

五十嵐さんはガッカリした表情を見せた。

「あれ、全然違っていました？」

「そういうことじゃない。こういうときは、見た目よりも若く言うのが社交辞令だ。そして、オレが本当の年齢を言う、そしたら『えー、ぜんぜん見えません』と三段論法で持ち上げるっていうお約束の流れを知らないのか」

「決まりなんですか」

「世の中のルールだ。後藤はオレの年齢をズバリ当てようとしたんだけど、今年49歳になるオレに50歳と言ったのは本当に腹立たしい。オレは今まで実年齢以上に言われたことがない」

「ごめんなさい。でも、49歳には見えません。もっと若く見えます」

「いまさら遅いわ」

五十嵐さんは不機嫌になって、スマホをいじり出す。

春村さんが苦笑しながらもフォローしてくれる。

「五十嵐さん、30代と言われても違和感ありません」

五十嵐さんと2人きりじゃなくてよかった。

春村さんの言葉を聞いて、五十嵐さんが「やっぱり？」と笑顔を取り戻した。この男、結構な単細胞である。

よし、今がチャンスだ。会社を辞める話に戻そう。五十嵐さんが会社を辞めたのは6年ほど前と服部課長が言っていた。つまり、43歳の時だ。

「五十嵐さんが転職した40代前半という年齢って、一般的には子供の教育費がかかり、親の介護の心配し始める時期ですよね。身動きが取りづらい年齢だと思います。ぼくがそんな状況だったら、怖くて会社、辞められないです」

五十嵐さんはスマホを触るのをやめて顔を上げた。

「オレの場合は、子供はいないし、少しばかりだけど貯金があった。サラリーマン生活もあとわずか。失敗してもあと数年。駄目なら肉体労働でもなんでもすりゃいいかなって思えたんだ」

「あと数年って言われましたけど、今は65歳とか70歳とか、長い人は80歳まで働く時代ですよ」

「XTシステムズの役職定年は55歳だ。場合によってはもっと早い年齢、例えば52や53歳で取引先などに出向させられることもある。そうなると給料は大幅に下がる。高い給料がもらえる会社人生は、そんなに長くない。それに、オレはもともと55歳くらいまで働けば十分と思っていた。残りのサラリーマン生活は、そんなに長くないさ」

鉄則12 会社の人事評価は不公平、公正さをあてにするな

「後藤はまだ若い。それとお前が思っている以上に、今の職場はいい仕事場だとオレは思うけどね」

「そうですか？」

「実際、大きな仕事をさせてもらっているんじゃないのか？」

「そうです。大きな仕事を任せられて、会社に貢献しているんですが、ただ……」

ぼくは、コーヒーを口に運び、うつむいたまま小声で付け加えた。

「ただ、人事評価が悪いんです」

コーヒーの苦さが、いつもより強く感じられた。

「そうか……。サラリーマンの世界って、『理不尽』が大手を振って歩いてるようなもんだからな」

「どうせ、ぼくは理想論ばかり掲げてるガキですよ」

ぼくは唇をとがらせ、小さく嘆息して、不満を口にした。

「去年、うちの部で一番大きなプロジェクトを受注した案件があるんですけど、その担当ＳＥがぼくなんです。なのになんで、後輩のほうが先に昇格するんですかね？」

「そりゃ簡単だよ。人事がバカだからさ」

「……五十嵐さん、人事がバカって、本当に思ってますか？　評価されないぼくの方に問題あるとか、思ってません？」

五十嵐さんは、「ドキ！」っと言いながら笑顔で自分の胸を押さえた。

「うっそ、なんでバレた？」

「……もういいです」

「まあまあ、怒るなよ。だいたいさ、人事なんていい加減なんだよ。後藤の会社は、社員数が

1000人を超える。公平な評価なんてできっこないし、雑になる。経済評論家の森永卓郎さんも言ってたよ。『きちんと仕事で成果を出していけば、それが出世に結びついていくと考えるのは、完全な誤りだ』ってね」

身も蓋もない話だな、と思う。

「まあ聞け、それに、そもそも人事が公平だなんて勘違いしていないか？」

「人事評価制度の説明を受けましたが、『我が社は公平な評価をしている』って言われました」

「もちろん、どこの会社も、制度的には公平にしようとしている。複数人評価だったり、明確な評価基準を設けたりだ。だけど、ＳＥの仕事って、1人で保険の契約を何個取ってきたかみたいに成果がハッキリわかる仕事ではない。少なくとも数人、多ければ10人とか20人のプロジェクトでの仕事だ。プロジェクトが成功しても、誰か1人の成果とは思われない」

「でも実際、プロジェクトを成功に導いたのはぼくですよ」

そう言い切ったが、五十嵐さんの顔を見て、「少なくともぼくはそう思っています」と付け足した。

「ちなみに、顧客向けのプロジェクト体制図だと、後藤のポジションって何？」

「チームリーダーです」

「だろ？」

五十嵐さんは「わかるわかる」とコクコクうなずく。

「かつてはオレもいた会社だから想像がつく。プロジェクト体制としては、部長がプロジェクトマネージャーで、課長がプロジェクトリーダー。そして、仕事ができる若手がチームリーダーを担当。部長も課長も、仕事は何もしないっていうか、能力がないからできない」

「よくご存じで。その通りです」

「部長は親会社から来たシステムのことを全くわかってないやつだもんな。上司の服部課長はオレもよく知っているけど、ゴルフの腕だけで出世したバカ。あ、言っちゃった」と口を押さえた。

「冗談だからな」

「いや、正しいです」

「だから実際に、プロジェクトを受注した立役者も、無事に成功させたのも、後藤あってのことだろうな」

「……そこまでわかってもらえるなら、ちょっと報われた気がします」

ようやく言いたかったことが伝わって、つい顔が緩んだ。

「顧客も、『プロジェクトリーダーの服部課長は連れてこなくていいから、後藤さん、あなたと直接相談をしたい』って言ってくれました。それだけ信頼を得たのに、同期が課長代理に昇格して、ぼくは主任のまま。後輩も、何人もぼくを抜いて係長になりました」

悲痛な声を上げたぼくを、「まぁまぁ」と五十嵐さんはなだめた。

「それはさ、人事のタイミングとか、昇格人数の枠とか、いろいろあってのことだろう」

「そんなのは会社の都合であって、ぼくの知ったことじゃないです」

「後藤、世の中ってのはな、思うようにはいかないもんなんだ」

「でも、真面目に成果を出した人が評価されない人事って、やる気がなくなりますよ」

「ちなみにさ」

五十嵐さんは一息置いて、ぼくをじっと見た。

「服部課長は、プロジェクトの成功は後藤のおかげだと報告していると思うか？」

ぼくはつい、ゴルフの話ばかりする課長の顔を思い出してイライラしてしまった。そのイライラもあって「他に誰のおかげだっていうのですか」と怒り口調になった。

「体制図上、課長がプロジェクトリーダーなんだろ？　だったら、服部課長は、上司である部長に、『プロジェクトリーダーの私が成功させました』って報告する。さらにその部長も、社長には『プロジェクトマネージャーの私が部下をけん引して成功させました』って報告する」

「まあ、そうかもしれません」

「おまけに、とても苦労したとか、死にそうだったとか、そりゃもういろんな脚色をしてだ。もし成功した要因を聞かれたとしても、後藤の『ご』の字も出ない。というより、出す必要がない。課長も部長も、自分の評価を高めて昇進し、給料をたくさんもらいたい。それは、人間として当然の行動なんだ」

　五十嵐さんの話を聞いてて、あぜんとした。信じたくないが、おそらく事実であろう。

「なんだか、寂しくなります」

「だから、後藤の成果は、人事部にも社長にも、誰にも伝わっていない」

　言われてみればその通り。そんなことにも思い至らず、不満を垂れ流すだけだった自分が嫌になり、何も言えなかった。

「厳しいこと言うようで、申し訳ないけどさ」

　五十嵐さんは、話をまとめるように言葉を続ける。

「それが、サラリーマンの世界だ」

　なんてくだらない世界なんだ。

「もういいです。こんな会社はやめるので、ちょうどよかったです」

　五十嵐さんは、そんなぼくを見て、優しい口調で言った。

「いや、待てよ、後藤」

「だって、こんなのむなしいじゃないですか。がんばってもがんばっても、ぼくの努力は誰にも伝わらない」

そう言って、大きくため息をついた。

そして、愚痴を言わずにはいられなかった。

「本当はわかっているんです。ぼくが、昇進できない理由なんて。新庄みたいなずば抜けた能力もない。課長みたいに人付き合いもうまくない。でも、認めたくない。だから、やめるしかない。……ガキみたいな考えということは自分でもわかっています。でも、認めてほしいんです。ぼくのことを」

五十嵐さんは「そうか」とつぶやく。春村さんも、ぼくと同じようにうつむいていた。

「オレは、認めているよ」

「え……？」

「後藤のことを。たぶん、春村さんも。後藤が日ごろからどれだけがんばってるのか。後藤の同僚も後輩も。みんな知ってるじゃないか」

「……そうなんでしょうか」

そう口にしたぼくだったが、やはりうれしかった。

「私ももちろん、五十嵐さんと同じ意見です」

春村さんも力強く言ってくれた。

ありがたい。こうやってぼくを認めてくれる人がいる。なんてありがたいことなんだ。

五十嵐さんは一息置いて、ぼくをじっと見た。
「服部課長は、プロジェクトの成功は後藤のおかげだと報告していると思うか？」
「他に誰のおかげだっていうのですか」とぼくはつい、怒り口調になった

ぼくは顔を上げた。そこには2人の笑顔があった。

——IT業界で仕事をしたい

——システムを作って誰かの役に立ちたい

SEになった頃は、そう思っていたはずだ。なのに、だんだんと給料や昇進のことばかり気にするようになっていた。

妻は、「給料なんて私は気にならない」と何度も言ってくれた。

「あなたはがんばってるわ」「今のパパで十分だよ」、とも。

一体、どこで道を間違ったのだろう……。

ぼくは、本当は何がしたいんだろう?

夜は、刻一刻と更けていく。

鉄則13 出世を目指すなら「上司は顧客」と肝に銘ぜよ

「とはいえ、上司に認めてほしいって気持ちはわかるよ」

ウンウンと、五十嵐さんはうなずいている。春村さんも「そうですよね」とつぶやいている。誰だって、認めてほしいものだ。できれば、たくさんの人に。

「いいか、後藤。上司と部下ってのはな、客と店のような関係なんだよ」

「本当の客、つまりシステムの利用者は別にいるじゃないですか」

五十嵐さんは首を横に振り、「違うんだ」というしぐさをした。

「後藤は、会社、つまり上司の命令に従って仕事をする。すると、会社から給料をもらえる。後藤にとって上司は、『顧客』みたいなものだろ」

「言われてみれば、そうですけど……」

五十嵐さんは缶コーヒーから手を離し、にかっと笑う。その手元には、いつの間にかハンカチで作られたヒヨコがあった。

五十嵐さんは、春村さんに向かって「ハンカチを貸してくれない？」と言った。

春村さんは、ハンカチを渡しながら、

「あ、あの、私、ちょっと席を外してもいいですか」と五十嵐さんを見た。

「どこに行くんですか？」

そう聞きそうになって、口を閉じる。トイレならハンカチが必要だと思ったが、女性に対して、行き先を聞くわけにはいかない。

「どうぞ」と言う五十嵐さんの声に会釈して、春村さんは席を離れた。

五十嵐さんは、春村さんのハンカチですぐにヒヨコを作り、まるで上下関係を象徴するように、自分のハンカチで作ったヒヨコを重ねた。

「居酒屋で、焦げた失敗作の料理が出てきたら、客の後藤は怒るだろう。店員が『ぼく、がんばったんです。その努力を認めて許してくださいよ』と言われたら、後藤は許すか？」

「そりゃー、お金を払った立場としては、まっとうな料理を正しく受け取る権利があると思います」

「そうだろ。そう考えたら、客である上司に従わないといけないと思わないか？」

「で、でも、居酒屋と会社は同じじゃないですよ！　いくら上司だからって、ぼくは人間です。受け入れられないことだってありますし、ぼくの希望も聞いてほしいです」

「そりゃもちろん」

重ねられていたヒヨコは、今度は２匹並ぶように隣に置かれた。

「でも、部下が会社の命令通りに仕事をしないんだったら、会社もまた、給料を払う必要がなくなる」

ヒヨコたちは、仲たがいしたように今度はそれぞれ外をぷいと向く。交渉決裂。

「……五十嵐さんが言いたいことは、わかりました。そうです、その通りです。だけど」

五十嵐さんは、しみじみした表情で、手を伸ばしてぼくの肩をたたいた。

「服部課長は神じゃない。普通の人間なんだ。認めてもらおうなんて過度な期待は、するだけ疲れる。上司は客、しかもわがままで、わからず屋。そう思ったほうが、諦めもついて、ストレスをため込まなくていいぞ」

五十嵐さんはぼくを励ましてくれている。だが、上司がわからず屋なんて、あまりに寂しい。

本当に寂しい。

でも、現実はそうなんだ。五十嵐さんの言っていることが、圧倒的に正しい。


「どっちか食べませんか？」

席を外していた春村さんがお菓子を持ってきた。グリコの「ポッキー」と明治の「メルティーキッス」というどちらもぼくが大好きなお菓子だ。どこから持ってきたのだろうか。自分のカバンの中に入れていたお菓子だろうか。まあそんなことはいい。晩ご飯も食べていなかったので、おなかが空いている。食べられるだけでありがたい。

「チョコ、好きなんだね」

春村さんは「はい」と、はにかむように笑う。

「後藤さんもお好きかなぁと思って、持ってきました」

春村さんは、ウインクこそしなかったが、落ち込んだぼくを魅了するには十分の笑顔だった。そして、言葉を継ぐ。

「途中のお話を聞けていませんが、後藤さんって、まっすぐで正直な方なんだということがよくわかりました」

「そう言ってもらえて、うれしいです」

ぼくは本当にうれしかった。

「でも、『正しさ』にこだわっているようにも思えます」

「えっ。どういうこと?」

「正しく評価されたい、正しく評価しない人事部は駄目だって。でも、人間はそんなに正しくないから」

「そうだけど……」

返す言葉がないぼくを、春村さんが元気づけてくれた。

「スーツ着てネクタイつけてちゃんと仕事して、しかもプロジェクトの立役者。私からしたら、それだけでとてもかっこいいです。それと、求め過ぎると、つらくなります。どこの会社の上司も、部下のことを思いやっているふりをしながらも、自分が一番かわいいんです」

春村さんが席を外している間、五十嵐さんが言ってたのと同じ意見だ。

五十嵐さんは、顎ひげを触りながらふむふむと聞いている。

春村さんの話を聞いて、駄々っ子みたいな自分が、次第に恥ずかしく感じられた。いつまでも正しさに固執するのではなく、理不尽な状況も受け入れていかなければ何も進まない。

五十嵐さんは、春村さんを見た。

「ちなみに、春村さんは、仕事は楽しい？」

「え、突然どうしたんですか？」

「いや、楽しいかなと思って」

「そうですね、ま、そこそこ」と舌を出した。

意外な返事だった。男だらけのＩＴ業界での仕事は、大変なイメージしかなかったのに。

ぼくは身を乗り出して聞いた。

「大変じゃないの？　変な上司、変な客がいたりとか？」

「嫌なこともたくさんありますけど、自分も成長できます。なので、結構楽しんでやってます」

「なるほど」

「それに、がんばったその先には夢があると思っていますから」

「夢、か……」

春村さんの話を聞いて、忘れかけていた感情がよみがえってきた。

「今日は、先輩がぼくのコーディングの速さを褒めてくれた」

「お客様のトラブルを1人で直せたんだ」

「プロジェクトのチームリーダーに抜てきしてくれた。メンバーは3人だけどね」

「いずれは会社のナンバーワンSEになる。そして子供ができたら、自慢のパパになる」

20代の頃は、そう言って喜んでいた。

地位やお金のことなんて、何も考えなかった。一人前のSEになること自体が、夢だったのだ。

――今の、ぼくの夢はなんだろう？

――ぼくは、何がやりたいんだろう？

せっかく、五十嵐さんや春村さんという人に出会えた。トラブル対応の中、どれだけ時間が取れるかわからない。だけど、少しでも自分の中で答えを見つけたい。

鉄則14 人が嫌がる仕事を引き受けてみよ

「ぼくは、これからどうしたらいいんですかね」

「どうした、いきなり哲学的な話になったな」

五十嵐さんはスマホを操作していて、話半分に聞いている感じだ。

「社会人なんて、多かれ少なかれ、みんな哲学者ですよ。自分がどう生きたらいいかに悩んでいると思います」

「ま、そうかもな」

「ぼく、今の会社に残ったとしても、どういう心構えで続ければいいか、わからないんです」

五十嵐さんは持っていたスマホをテーブルに置き、「ふうむ」と顎をなでる。

「そうだなぁ。仮に後藤の不満である人事評価を高めること、つまり出世を得たいとする。そうであれば、人事評価をする人、つまり上司なんだけど、上司へのアピールが鍵だ」

「我が社だと、上司ではなく、人事部や社長が人事評価をすると聞きましたが」

「その通りだけど、後藤の業績を人事部に伝えるのは上司だ。また、部下が10人いる場合に、誰を最も高い評価にするかは、上司のさじ加減一つだ。だから、上司に気に入られて、上司が求める人物になることが大事だ」

「だから、成果を出そうとがんばっています」

「たしかに成果も大事だ。だが実際には、成果よりも、自分に従順な部下であるかが大事なんだよ」

「えっ。上司は、成果を出せる優秀な部下が欲しいんじゃないのですか？」

「どれだけ優秀でも、上司と対立してたら駄目さ。仮に後藤に、東大卒のバリバリできる部下がいたら、どうだ？」

「めちゃくちゃ優秀なんですよね。いいじゃないですか」

「でも、もしかすると、後藤を飛び越えて社長と話をしたり、後藤の言うことを聞いてくれなかったりする可能性もあるぞ」

「それは、やりづらいかもしれません……」

ぼくは額に手を当てて考えてみた。自分の部下にイエスマンが欲しいわけじゃない。でも、自分をのけ者にして話をされるのは、うれしくない。

「そういうことさ。どんな上司も、自分に従順な部下が欲しい。上司が優秀なら、自分のやり方は正しいと思っているし、自分のやり方で成果が出せる。だから、自分の手足として従順に動いてくれる部下が欲しいのさ」

「なるほど」

「営業担当なら自分と同じように仕事を取ってきて、SEなら自分と同じようにベンダー調整をしてプロジェクトを成功させる、そんな部下が欲しいのさ」

「上司が無能な場合は？」

ぼくの頭の中には、服部課長があった。

「もちろん成果を出してくれる部下はうれしい。だけど、自分を飛び越えて活躍したり、自分の言うことを聞かなかったりする部下は気に入らない。バカだから器も小さいんだよ」

服部課長は、ゴルフの腕で出世した人だ。技術的な部分については理解できないと自ら公言している。そんな人に、技術力を認めてもらおうとしたのが、間違いだったのかもしれない。

「でも、今の上司、服部課長には、従順になれそうにありません」

ぼくは、自分が不器用な人間なんだということを、改めて思い知らされた。

「後藤が服部課長に寄り添って、従順に仕事をしたり、毎日昼ご飯を一緒に食べて愚痴を聞いたりというのは無理だろうな。まあ、そういう裏表がない性格というのは、後藤の魅力なんだけどね」

「出世するには、上司のそばにいて、ご機嫌取りをするしかないのですか？」

「そうとも限らないけど、それが1つの方法だな」

「それ以外に、上司にべったりせずに済む方法はありませんか？　仕事をやり遂げればいい、みたいなのは」

「あるぞ」

「本当ですか？」

「簡単だよ。自分がやりたくない汚れ仕事をやってくれる部下だ」

「汚れ仕事ですか？」

「例えば、今回のようなクレーム対応やトラブル処理。トラブルは社外だけじゃなく、社内にもある。最近だとパワハラやセクハラが非常に厳しくなっているからな」

「たしかに、汚れ仕事は面倒だし、やりたくないです。それを見事にやってくれる部下がいたら最高です」

「そう。上司は部下に任せて、絶対に近寄ってこない」

「あはは」

ぼくは苦笑いしかできなかった。

「それから、違法行為だな。仕事をしていると、グレーな領域はいっぱいある。例えば、公共案件の入札とか、談合で捕まるかもしれないようなギリギリの仕事だ。昔は談合と言えばゼネコンだった。だけど最近はシステムインテグレーターの談合や不正取引もニュースになっている」

「そうですよね……」

「談合がいいわけではない。だけどかつてのゼネコン業界なんかは不条理な業界構造がその原因だったという話もある。談合なしでは超大型受注が取れないとかね。海外なんかだと、現地の役人や企業と接待を交えたグレーな金銭の授受がないと発注を得られない国もまだまだある」

「もしその違法行為が表に出たら、どうなるんですか？」

「上司は、『一切知らなかった、部下が自分で勝手にやった』って言う。政治家が『秘書が勝手にやった』と言うのと同じだ」

「ひきょうですね」

ぼくはポッキーを口に入れた。いつものポッキーとは味が変わっておいしくない気がする。

「程度の差はあれ、出世しようと思えば、何度か修羅場をくぐる。後藤が出世したいなら、出世コースに乗っている上司の懐刀になるのも手だ。汚れ仕事も含めて全部引き受ける。そうすれば、上司のゴマすりをすることなく、上司は何も言わずにいい評価をしてくれる」

「それはぼくには……」

「出世頭の佐々木くんの上司は、ヤリ手で有名だろ。現社長のお気に入りだったよな」

「おそらく、そうですね」

「佐々木くんは上司が気に入るようにうまくやったんだろう。出世するために、技術を磨くよりも上に気に入られることに注力した。しかし、今後、もっと出世するには、さっき言ったような、汚れ仕事もやらなければいけない時がくる。そんな仕事を命令されたとき、後藤はできるか？」

ぼくと春村さんは、同時に首を振った。「絶対無理です」と。

「しかし、組織を束ねてビジネスの世界で戦う以上、きれいごとだけでは仕事はできない。コストが安くて技術も優れる海外企業とも戦わなければいけない。だから、『サラリーマンとしての度量』なんて言葉で正当化して、誰かが汚れ役をやらなければいけない。そういう人たちがいるから会社が保たれているともいえる」

ぼくは、ため息をついた。会社員なんてつらいことばっかりだ。それが現実なのかもしれないが、生々しく聞かされると、ほとほと悲しくなる。

鉄則15 成果を出したらそれをアピールせよ

「そんな犯罪スレスレとか、汚れたことじゃなく、まっとうな方法で勝負したいんです」

それがぼくの素直な気持ちだった。

「もちろん、世の中には、真の実力だけでのし上がった人もいる。とはいえ、本当に実力がある人は、たとえ汚れ役の仕事であっても、何事もなかったかのように平然とやり遂げる」

「汚れ役とは思わないってことですね」

五十嵐さんが言ったことを、春村さんが確認した。

「そうだ。だから、出世したいなら、汚れ仕事やつまらない仕事も、文句も言わずにすべてのみ込んでやるべきだ。でも、後藤はそういうのは嫌なんだろ」

「はい。真の実力ってやつで勝負したいです」

ぼくはまだ、世の中は正しく潔癖であるべきだと思ってる。それが幼稚な考えだとはわかっているけれど、自分の心を偽れない。

「何をもって真の実力というかはわからんが、一般的にはゴルフや接待も含めた総合力が、真の実力なんだけどな。出世するやつは、仕事で卓越した成果を出しつつ、従順な部下としても仕事をし、夜の部やゴルフなども含めてこなしているもんだ」

「じゃあ、言葉を変えます。エンジニアとしての技術力だけで勝負したいです。グーグルの行動規範も『正しいことをしよう（ドゥー・ザ・ライト・シング）』じゃないですか。そうやって世界有数の企業になったじゃないですか」

「それだったら、人の20倍くらいの成果を出す必要があるな。人より少しできるくらいじゃ、その実力が表に見えてこず、埋もれてしまう」

「そう言われるとそこまでの実力はありません。でも、実際、ぼくがエンジニアとして顧客に認められたからこそ、受注ができたはずなんです」

「まぁ、それは事実だろうな。でも」

もったいぶるように五十嵐さんは、少し間を置いた。

「本当に受注できなかったかどうかは、検証のしようがない」

「それはたしかにそうですけど……」

「それにな、後藤が人の5倍の仕事ができたとしても、5人のプロジェクトを1人でこなすことはできない。契約処理やら物品の受け入れ処理、荷物の発送、コピー、メール、電話対応、片付けなどなど、雑務が山のようにある。そんな雑務もすべて5倍のスピードでこなすなんて無理だ。結局は、チームのみんなの力があってこそ、後藤の力も発揮されるってわけだ」

人間は1人じゃ生きられないのと同じで、もっとも過ぎる話だ。ぼくだって、経理や事務や営業の人をばかにしたいわけじゃない。

「でも……じゃあ、どうすればいいんですか」

五十嵐さんはポッキーを口に入れながら、「ちなみに」と聞いてきた。「そのプロジェクトで、後藤はどれくらい残業したんだ？」

「ぼくはコスト削減を意識して、残業はかなり減らしました。娘のためにも早く帰りたかったですし、会社にとってもウィン - ウィンだったと思います」

「なるほどね」

「ぼくは、３つあるチームの1つのチームリーダーをしながらも、顧客対応を含めて全体のプロマネ的な仕事もやっていました。残る2つのチームは、すごく荒れたプロジェクトでした。残業がすごく多かった上に品質が悪過ぎて、その後、増員もしました。人件費が非常に増えたと思います」

「なるほど。とすると、後藤の場合、トラブルもなく、残業もほとんどせずに成功させたってことだな？」

「はい。がんばってやり切りましたよ」

そう言って、胸を張ったが、五十嵐さんは、悲しそうに首を振った。

「外資系企業ならそれで正解だが、お前の会社の場合、逆効果の可能性がある」

「えぇっ、なんでです？」

「これはケース・バイ・ケースだから、必ずしもそうというわけではないんだが……」

五十嵐さんは春村さんに「ポッキーうまいね」と言いながら、ポッキーの1袋目を丸め始めた。

「つまりだ。後藤のチームが担当した仕事は、難易度が低かったと思われた可能性があるんだよ。それと、基本的に、人間ってのは、他人の成功は嫌いだ。だから、残業もせずに早く帰るお前たちを見て、『早く終わったなら、こっちを手伝え』と妬んでいたかもしれない」

「でも、ぼくだって娘が小さかったから、早く帰ることをモチベーションにがんばったんです。それに、その2チームが崩壊したのは、チームリーダーのマネジメントの問題でした。ぼくならそうはさせなかったです」

「実際はそうなんだろうけどさ。日本企業はいい意味でも悪い意味でも浪花節、つまり、義理人情の世界が残っている。だから、遅くまでがんばることも大事なんだ」

「でも、残業代がかさむし、会社にとっても損ばかりですが」

「いいか、会社で出世するためには、アピールすることも大事なんだ。飲み会やゴルフの付き合いも、実はアピールの場なんだよ。iPS細胞でノーベル賞を受賞した山中伸弥教授も、『研究も大事だが、それと同じくらい、結果をアピールすることが大事だ』って言ってるよ」

「研究と同じくらい、ですか？」

「そうだ。本でしか知らないけど、山中教授の研究って、半端じゃない量の研究だ。それと同じくらいアピールするんだから、ものすごいアピールだよ。しかし、そこまでしないと、誰も見てくれないんだよ」

「じゃあ、アピールのために、ぼくも毎日残業すればよかったのですか？」

「そうだな。ときには2週間ほど徹夜して、血を吐いて病院に送り込まれておけば、完璧。みんなの態度が極端に変わるぞ。よくやったよねーと」

五十嵐さんはクックッ笑う。そんなのブラック過ぎるじゃないか。

「なんか、そういうの嫌いです。ぼくがしたいのは、ちゃんとがんばった人が、ちゃんと評価される社会なのに」

「そんな社会はない。後藤が今の社会の風土に合わせなきゃならん」

言われることはその通りかもしれないけど、納得できない。

そんなぼくに、五十嵐さんは静かに告げた。

「納得できないままでも、アピールはやったほうがいい。収入に差がつくからな」

第4章　なにがSEの転職を成功させますか?

鉄則16 転職オファーが届くＳＥを目指せ

五十嵐さんの話に納得することはあっても、気持ちはすっきりしない。コーヒーをちびちび飲みつつ、さっきの話に戻した。

「じゃあ、人の20倍仕事ができたら、周りの評価は変わるんですか？」

「20ってのは適当な数字だから、当てにしないでほしいけど。ただ」

「ただ？」

「他の人が1、2カ月かかる作業を、2、3日でこなせれば、それはすごいことだ。さっき、後藤はグーグルの話を出したけど、グーグル創業者のセルゲイ・ブリンは『本当に優秀なソフトウエアエンジニアは平均的な人の10倍、１００倍も生産性が高い』って言ってる。お前もそれくらいのパフォーマンスを出してみたら、周りの目が変わるよ」

「１００倍かー。ぼくにもそんな仕事ができますかね？」

「普通にやっていたら無理だ。イノベーション、つまり全く違うやり方をすればできると思う。仕事は、時間じゃない」

「ですよね、ですよね。ぼくもそうなりたいわけですよ！」

ぼくはつい言葉に力を込めた。

「けど、現実的には難しい」

五十嵐さんは、ぼくの気持ちを持ち上げては落とす。

「日本におけるシステム開発の多くはＲＦＰによって仕様が詳細に示される」

ＲＦＰとはリクエスト・フォー・プロポーザル、つまり、提案依頼書のことだ。

「ＲＦＰがどんな内容かは、後藤もよくわかってるだろう。官公庁の入札なんかだとサーバーを何台購入し、そのスペックはいくつなどと、システムの要件が細かに指示されている。これではイノベーションは無理だ。人の何十倍も早くとか、安くとかできることは、あり得ない」

「うーん、たしかに……」

「だからイノベーション、つまり革新的な仕事ができるようなやつは、会社を去る。そのほうが、自分の好きなように仕事ができるし、給料も増える」

「ですよね」

ＡＩによって仕事のやり方が大きく変わっていくはずなのに、我が社はいまだに古くからの受託開発。イノベーションとは無縁である。やはりぼくは、この会社を去るべきじゃないのか。

「日本の会社だと、例えば、１億円の利益をもたらしたって、給料が大幅に増えるわけじゃない。それで給料が１０００万円増えることはないだろう」

「うちの会社だと、ボーナス評価でせいぜい、10万円くらいのプラスでしょうね。プラス、社長表彰の金一封が出て、たしか3万円です」

「自分で事業を起こせば、利益は丸々自分のものになる。だから、できるやつは独立していく。またはインセンティブが高い会社、例えば外資系の会社に転職する」

「好きな仕事をしてイノベーションを起こして給料もアップ。そりゃ、会社を飛び出したくなりますよね」

「まあな」

「だからぼく、今の会社をやめて転職しようと決めたんです」

「後藤の人生だから後藤が決めればいいけど、別の見方をすると、利益を生み出さなくても給料をもらえる。それが日本的な今の会社のメリットだ」

五十嵐さんはぼくの転職を否定しているようだ。そして今度は、メルティーキッスに手を出した。

この人、もしかしてお菓子を食事だと思ってないか？ トラブル対応時はご飯を食べないって言ってたけど、お菓子でおなかを満たすという作戦じゃないのだろうか。

「ところで後藤、転職先は決まってるのか？」

「1社は内定をもらっています。ただ、あまり条件がよくありません。今は、異業種も含めたいろいろな会社とも話をしたり面接を受けたりしていて、どうなるかっていう状況です」

「じゃあ、次どこに行くかが未定なのに、退職願を出すつもりだったのか」

「……え、まあ」

ぼくは小さくうなずいた。

今以上に評価してくれる会社は絶対にあると思っている。しかし、実際に転職活動をしていると、なかなか条件に合うオファーがない。

「ぼくは、妻や娘のためにも、転職を成功させたいんです。だから、五十嵐さんはどうやって転職を成功させたのか、聞きたくって」

「転職はタイミングや相性もあるんだけどな……。まぁ、そんなにおいしい転職先は転がってないさ」

「そういうもんなんですかね」

現実は厳しいってことなのか。

「ただ、本当に優秀な逸材なら、今の会社が放っておかないし、取引先の会社が『年収２００万円上乗せするから来てください』って声をかける。転職で成功するのは、だいたいがそんなパターンだ」

もちろん、ぼくにそんな声はかかっていない。

ならば、今の会社にいたほうが無難……？

鉄則17 報酬アップだけが目的の転職は悪手

「で、でも！　転職サイトには、年収８００万円から１５００万円という高年収の募集があふれていいます。それだけ、できる人を欲しがっているってことじゃないんですか？」

五十嵐さんは次のメルティーキッスの袋を開けながら、「あれは、『おとり広告』だからなあ」と笑う。不動産でも好条件で安価な物件が載っていることがあるが、それと同じなのだろうか。でもたしかに、最終面接までいかないと年収は教えてもらえないことが多い。そして教えてもらった年収も、想定より安いことが多かった。

「ちなみに後藤、お前の年収、今いくらだ？」

ぼくはつい、春村さんの顔を見た。春村さんの前で年収を言う恥ずかしさがあった。とっさに春村さんは両手で耳をふさいだ。そんなことで聞こえなくなることはないが、「聞かないことにします」というメッセージだった。

「手当や残業代など諸々含めて、６００万円弱です」

「結構もらってるじゃないか」

「いや、普通だと思います」

「じゃあ、転職してもせいぜい５５０万から６００万ってとこだな」

えーっ、とつい驚きの声が漏れた。それなら、今の会社と変わらないじゃないか。これなら、転職する意味がない。

「給料は、前職の年収が基準になる。だから、後藤の場合は６００万円が１つの基準だ」

「残業代やら手当も含めて、ですか？」

「そうだ」と五十嵐さんはうなずいた。

「それに、転職サイトにも８００万円を1年目から払うとは書いてないだろ。数年間ちゃんと働いて、実績を残せれば、それくらいもらえる可能性があるってだけさ」

「それ、詐欺じゃないですか」

「詐欺じゃないよ、本当に実力があって、転職と同時に顧客も引き連れてくるような逸材だったら、いきなり８００万円も夢じゃない。まぁでも、実際には非常に少ないな」

「そんな人でも８００万円しかもらえないんですか？」

「あとはインセンティブだ。つまり、営業のような仕事をして、10億、20億円の仕事を取ってくる。または、１億円くらい利益を出したら、プラスアルファでくれるお金だ。それだったら、１０００万円くらい払ってくれるだろう」

「１億円の利益で、１０００万円ですか……」

「そうだ。もっともっと会社をもうけさせれば、会社は１５００万円、満額で払うだろう。だから嘘じゃない。ただ現実的に、そんな人はまず、いないだろうな」

「五十嵐さんは年収が増えたんですよね。いくらになったんですか？」

「なんでお前に年収を言わなきゃいけないの？」

「ぼくも教えましたし、そこはほら、ぼくと五十嵐さんの仲じゃないですか」

五十嵐さんはちょっと顔をしかめつつ、渋々言った。

「オレは、コンサル会社に転職したからな。ま、ちょっとは上がったよ」

「やっぱり！」

「でも、福利厚生はないから、家賃補助や人間ドック受診も何にもない。だから、実質はプラスマイナスゼロ」

年収が増えた人は、妬まれないように適当に嘘をつく。ただ、五十嵐さんの話は、あながち嘘でもない気がする。ぼくの場合、会社の福利厚生でマンションの家賃の3割補助を受けている。これがなくなるのは非常に痛い。夢のない現実を聞かされてしまった。

「じゃあ、転職しても給料が上がらないってことですか……」

「いや、そんなことはない」と五十嵐さんはすかさず否定する。

「オレの場合、ちゃんと働いて成果を出せたから、2年目からはボンと上がったよ」

「ボン！ ですか。すごい」

「コンサルティング会社はいろいろな契約の価格設定があって複雑なんだけど、オレがいた会社で言うと……」

五十嵐さんが、具体的な数字の話をしてくれそうだ。ぼくはつい身を乗り出して聞き入った。

「例えばさ、オレ1人の仕事に顧客が月300万円くらい支払っているとする。会社の経費や利益を差し引いても、月100万円くらいの給料がもらえるって感じだ。もちろん、顧客が支払う金額は、仕事の中身で大きく変わる。調査なのか、DXみたいな業務改善提案なのかという内容もそうだし、担当者のランクによっても変わる。ただ、オレは1年目からいい顧客のいい仕事をさせてもらったので、年収は結構増えた」

「福利厚生がなくなったといっても、月100万円だったら年収1000万円以上じゃないですか。ぼくもそれくらい欲しいです。今でもすごく働いていますし、成果も出しています。どうせ真面目に働くなら、給料は高いほうがいいです」

「別に1000万とは言っていないからな？　――けど、激務だぞ。1カ月で300万円の単価の仕事を1人でやるんだ。それだけの価値がある仕事をしなければいけない。顧客の業務を徹底的に理解し、情報を集めて資料を作って説明する必要がある。後藤の会社にいた時とは、比べものにならないくらい大変だった」

「そうですか……」

大変過ぎるのもつらい。

でも待てよ。五十嵐さんはさっき、転職後の年収は前職の年収が基準になると言っていた。ということは、その高い年収の状態で次に転職すれば、さらに高年収が期待できるのではないだろうか。

ちょっと聞いてみよう。

「五十嵐さん、転職を繰り返して、年収が倍くらいに増えたということを聞いたことがあります。それって本当なんですか?」

「そういう成功例ももちろんある。だが、そんなに甘くはないさ」

ぼくは、「甘くはない」という言葉より、「もちろんある」の方に過敏に反応した。

「大きく増えることもあるんですね」

そう言ってぼくは五十嵐さんを見た。

五十嵐さんは何かを思い出すように上を見た。

「お金な……」

そうつぶやいてから、再び語り始めた。

「一流のスポーツ選手は、プロだからこそお金にこだわるという発言をする。だけど、お金を得ることにこだわっているんじゃない。価値がある選手だということを、客観的な金額で認めてもらうことにこだわっているんだ」

「たしかに……」

「起業家にしても芸能人にしても、一生遊べるほどの大金を得ている人はたくさんいる。だけどその人たちの多くは、仕事をリタイアしない。大概、死ぬまで仕事をしてる」

「なるほど」

「つまり、そういうことだ」

五十嵐さんが言わんとするところはよくわかった。

「一流の人は、お金のため働いているわけではないのですね」

「そう。だから、お金にこだわって転職するという考え方は、どうなんだろう。オレは違う気がするんだ」

鉄則18 転職に踏み切るならプラス要素5つは必要

「オレの場合も、もちろん年収が高いほうがうれしい。でも、派手な生活をしているわけではないから、金に困っているわけではない。年収が高いというのは、単なる自己満足に過ぎない」

「ぼくは、年収が高いほうがいいと思っています」

「イギリスかどこかの調査で、年収７００万～８００万円くらいの人の幸福度が最も高いというデータがあった」

五十嵐さんの話を聞いて、春村さんも口を開いた。

「たしか、それ以上増えると、逆に幸福度が下がるんですよね」

「そう。年収が高額になると、責任あるポジションを任されたりして、精神的な負担が増える。それに、地位があると、自分の地位や世間の評価を気にするようになる。余分な体力を使う」

「幸せを取るか、お金を取るか、二択なんですかね？」

そう言ったぼくだが、可能なら両方欲しい。

「そんな単純な話ではないが、価値観は人それぞれじゃないかな。ただ、間違いなく言えるのは、金があれば幸せなわけでもないし、金がなくても幸せな人はいっぱいいる」

「私もそう思います。子供の頃なんて、お金なんてもちろんないですけど、楽しかったです」

純粋な話をする春村さんを見て、ぼくは少しだけ、子供の頃に戻りたいと思った。

五十嵐さんも「そう。そうなんだよ」と言って、力を込めて話を続けた。

「子供の頃は、友達とくだらない話をして笑っていたら楽しかった。部活も楽しかった。オレの学校は弱かったけど、汗をかいて、みんなで青春して……。人間って、何歳から金を気にするようになるんだろうな」

五十嵐さんの話を聞いて、ぼくはマザー・テレサの言葉を思い出した。

昔、学校の図書館で読んだ本だ。

「たしか、マザー・テレサが、『人はお金で満たされることはありません』と言っていました」

「名言だな」

五十嵐さんも納得の表情だ。

それを見て、ぼくは素直な気持ちを五十嵐さんに伝えた。

「金銭欲や物欲を満たすと、一時的には満足感が得られますが、本当に一時的です」

「ちなみに後藤は、何で満足するんだ。地位か、名誉か？」

「五十嵐さん、駄目人間ですね」

「駄目人間ってひどいなぁ。じゃあ、なんなんだ」

「愛ですよ！」

家族のことを考えると、本心から出た言葉だった。だけど、言った自分が少し恥ずかしくなった。真夜中じゃなかったら、「愛」なんて単語、口に出せなかったと思う。

「お前もわかってきたじゃないか。オレはうれしいよ」

「うーん。でも、愛が大事だとしても、家族をより幸せにするために、自分がイキイキと働きたいんです。だから、現状から抜け出して、転職にチャレンジしてみたいんです。できるなら、収入アップも期待しています」

「転職するならプラス要素を５つ数えてからって話を知っているか？　日本マクドナルド元社長の原田泳幸さんのアドバイスだ」

「たしか、原田さん自身が何度も転職された人ですよね」

「ああ、『マッキントッシュ』のメーカーであるアップルコンピュータから日本マクドナルドへの転職が、マックからマックへの転職と話題になった」

たしか、ぼくが中学生くらいだったと思う。

「プラス要素、つまりメリットが５つって結構な数ですね。給料、役職や地位、やりたい仕事かどうか、それくらいしか思いつきません」

「そのあたりはわかりやすいメリットだな。でも、他にも大事なことがあるぞ」

「例えばなんですか？」

「勤務地の近さ、勤務時間の長さ、福利厚生、有休消化率、社風が自分に合っているか、会社が安定しているかなどだ」

「なるほど。たしかに、そういうことも大事ですね」

「『今が嫌』っていう理由だけで転職したら、デメリットのほうが多かった、なんて可能性もある」

五十嵐さんの話を聞いて、ぼくは冷静に考えることにした。

転職のメリットを数えるために、左手の指を順番に折った。１つは、クラウドやＡＩなど、今後の成長が見込める分野の仕事をしたい。２つ目は、今の評価されない組織から抜け出したい。３つ目は、年収が上がればラッキー。あれ、もう終わりだ。４つ目以降のメリットがない。五十嵐さんが言っていた福利厚生や勤務時間など、それ以外のことは比較的満足している。

「どうだ後藤、５つのメリットがあったか？」

「いや、まだ考え中です」

あ、そうだ。メリットが1つあった。無能な上司と会話しなくて済む。

「上司と相性がいいかも、メリットと言えますよね？」

「上司との相性なんて運だ。それに人事異動でコロコロ代わる」

たしかに。逆に言うと、今の服部課長が異動でいなくなってくれる可能性だってある。

「いいか後藤、上司との相性が悪いなんてくだらない理由で転職なんかするなよ。バカな上司がいたら、何を言われてもニコニコしてろ。そして、そいつらが見えなくなったらアッカンベーをして悪口を言えばいい。どの職場にも、死んだほうがいいクズは最低３人いる。転職先にだって絶対にいるんだ」

「五十嵐さんもそう思う人がいるんですか？」

「ああ、もちろんだ。口には出さないけどな」

この人なら口に出しそうだけどな。そう思ったけど、ぼくもそのことは口にしなかった。

五十嵐さんは力説した。

「だから、心を無にするんだ。金をいただいているんだから、たった1人か2人、人として気に入らないなんて、そんなちっぽけな感情は置き去ればいいんだ。会社選びで大事な要素は他にもっとたくさんある」

ごもっとも。

もしかすると、ぼくは今の会社のいいところが見えていないだけなのかもしれない。

鉄則19 やらなかったことの後悔は日々大きくなる

五十嵐さんの話は理解できたし、今の会社のよさもたくさんあることを理解できた。だが、メリットを数えて転職するのは、今の自分の素直な気持ちとは違う気がした。こだわっているのは、現状への不満・危機感。そして、もう1つ……。

「五十嵐さん、ぼくは平凡な人生よりも、成功したいです」

「成功」という抽象的な言葉に、五十嵐さんも春村さんも、目をパチクリさせた。

ここまで駄々っ子のようなことを言ってきたぼくだからこそ、まだ言うのか、と驚いたのかもしれない。

「ふむ……。具体的には？」

「人生って一回きりじゃないですか。なのに、このまま評価されずにＳＥを続けるより、みんなが『すごい』って認めてくれるような成功をしたいんです。そのためには、ＡＩだったりＤＸだったりクラウドだったり、最新の仕事をしたほうがいいと感じているんです」

「まあ、気持ちはわからんでもない」

「別に最新の仕事じゃなくてもいいんです。会社をやめてＩＴベンチャーを立ち上げて社員を30人も抱えている高校の同級生がいます。人気予備校講師になった同級生は本を出したり、ちょっとですがテレビに出たりしています。広告代理店に入って国際的な賞を受けたのもいます。そういうのを見ていると、焦るんです。少なくとも、今のような未来がない会社にいてはいけないって」

「上を見てたらきりがないぞ。人それぞれ。比べちゃ駄目だろう。他人と比べることは、ネットに他人の悪口を書き込むくらい無駄だと思う」

「ネットへの書き込みですか……。たしかにあれは無駄だと思います」

「後藤もそう思うか」

「だいたい、ネットなんて嘘の塊です。なのに、その一面だけを見て、批判するなんて、なんなんでしょう」

「ネットニュースは切り取りが多いからなー。一部の不適切な行動や発言だけを切り取って、ニュースにする」

「そして、みんながそれに乗っかってたたくという構図ですね」

「テレビで、こんな言葉を聞いた。『正義はお金のかからない一番の娯楽』。ネットに芸能人や政治家の悪口を書くのって、正義を振りかざしている自分に満足しているんだ。よっぽど暇だなと思う」

「ですね。ぼくは自分や家族のことで頭がいっぱいで、他人の失言とか、芸能人の不倫とか、どーでもいいです」

「ま、サラリーマンの仕事も、ネットの書き込みをしているのと同じくらい無駄な仕事も多いけどな」

「残念ながら、そうかもしれません」

ぼくはつい、服部課長の仕事ぶりを思い出してしまった。

「仕事なんて雑務ばかりだ。特に管理職は、感覚的には8割が雑務だ。もちろん、残る2割でやりたい仕事ができる可能性がある。しかし、その2割に、本当にやりがいのある仕事が回ってくる確率は低い。よほど実績があって、運がいいやつだけだろう」

「ぼくが転職しても、やりたいことはできないものでしょうか」

「ＡＩをやっている会社に入れば、ＡＩの仕事ができる。でも、後藤が本当にやりたいようなコアなＡＩの仕事をさせてもらうには、少なくとも3年は我慢が要ると思う」

「3年もですか」

「そうだ。まずは雑務などをしっかりやって、実績を積んで信頼を得る必要がある」

「なんとなく、わかります」

「一方、今の会社であれば、後藤は実績がある。実際、やりがいがある仕事をさせてもらっているんじゃないか？」

「そうかもしれません。メール処理や打ち合わせ、報告書などのドキュメント作成などの業務に時間は取られますが、生粋のエンジニアの仕事が結構できています。課長を見ると、本当に雑務ばかりだと感じています」

「だろ」

たしかに、転職しても自分が思うような華やかな仕事はできないかもしれない。

ただ、もう1つ気になること、それは、そもそもＳＥ業務に未来があるのかということ。五十嵐さんに話を聞いてみた。

「五十嵐さん、ＡＩがさらに発展したら、ＳＥの仕事は不要になりませんか？」

「クラウドとＡＩが融合し、なおかつセキュリティーが保たれたとしたら、今の企業に置いてあるサーバーはほとんどなくなる。この会社のデータセンターからも、大半のサーバーは消えるだろう。一部のＳＥとともに」

「一部だけですか？」

「単純作業をするSEや、プログラマーは不要になるかもしれない。だけど、いつの時代も、技術の進化によって、人間は仕事のやり方を変えてきた。最近だと、ITが発展してきて、多くの仕事がなくなった。銀行業務や受発注業務、事務処理の多くはオンライン化され、それに携わる人の仕事はなくなった。しかし、ITの仕事は減るどころか、増え続けている。ITを生かすため仕事が求められるからだ。今後AIが発展すると、さらに多くの人が職を失うだろう。しかし、AIを生かすための仕事は増える。AIはITと連携してこそ価値がある。だから、IT業界の未来は決して暗くない」

「ですかね？　AIが、我々SEの仕事を奪っていきませんか？」

「AIによって、SEの仕事のやり方は大きく変わると思う。例えばプログラマーなら、AIに負けないように必死にプログラムを書くのではなく、AIに任せるところは任せ、AIを活用する仕事のやり方になると思う。だから、オレたちもリスキリングは必要かもしれないな」

リスキリング、つまり、技術革新に合わせた学び直しだ。

「ちょっと安心しました。AIが進化したって、それを生かした仕事に変えていけばいいのですね」

「そう。いくらAIが優秀でも、今回のようなトラブル対応や、顧客対応をAIが完璧にやってくれるなんてことはおそらくない。AIをツールと割り切って、うまく使いこなすんだ。ただそうなると、今まで以上に顧客対応能力や設計能力、提案力がSEに求められる仕事になる」

「ぼくの会社の古い体質も、時代に合わせて変わっていくのでしょうか」

「変わらざるを得ないだろうな」

会社がもし変わってくれるのであれば、転職しないほうがいいのか。転職しても年収が上がらず、やりたいことができないのであれば、意味がない。ここにきて少し気持ちがグラついてきた。

「五十嵐さん、ぼくは転職しないほうがいいですかね？」

つい、弱気になって小声になった。

「そうだなー」と考え、五十嵐さんは腕組みをした。

「一度転職してみるのもいいかもしれない。やらずに後悔するよりは、やって後悔したほうがいいだろうし」

「倒れるなら前のめり、ってことですか」

「直木賞作家の林真理子さんは『やってしまったことの後悔は日々小さくなるが、やらなかったことの後悔は日々大きくなる』と言ってた。まさにその通り。そこまで転職したいと思っているなら、不満を抱えたまま今の会社に残るより、思いきってチャレンジしてみるのもありだ」

チャレンジか……。しかし、ぼくには妻子もいる。イチかバチかではなく、できることなら転職は確実に成功させたい。

鉄則20 失敗してもなんとかなるの心構えが大事

転職がうまくいかなかったら、技術力を生かして独立する道もあるのだろうか。いや、そんなに甘くないか。でも、せっかくだから五十嵐さんに聞いてみよう。

「そういえば、五十嵐さんは転職後に起業されたんですよね？」

「そうだ」

「五十嵐さんの年で独立って、思いきったことしましたね」

「教えてもらってる立場なのに、失礼な表現だな」

「だって、独立したら、給料がゼロになるかもしれません。会社にいれば、五十嵐さんがぼくに言ってくれたみたいに、表面的にニコニコして、我慢さえすれば、安定したお金がもらえるわけですよ」

「その言葉、お前に返すわ。我慢して今の会社で働け」

ぼくは何かを求めて会社を飛び出したいけど、他人には「我慢しろ」って……。自分が矛盾した発言をしたことに気が付いた。

「後藤が言うことは一理ある。たしかに、ニコニコしておけば、55歳で役職定年になったとしても、そこから先は次の職場をあっせんしてくれる。少なくとも60歳までは、最低限の給料がもらえる」

「ですよね」

ではなぜ、五十嵐さんはリスクを冒してまで独立を選択したのか。その理由が聞きたかった。

「ぼくは『独立』『起業』という言葉にかっこよさを感じています。もちろん、今の自分では無理ですが、いつかはやってみたいという思いもあります。でも、収入はとても不安定になると思います。五十嵐さんは、独立に際して不安はなかったのですか？」

「もちろんあったさ。ただ、オレは思ったんだよ」

五十嵐さんは空になったメルティーキッスの袋を2つに切り裂いた。

「給料がゼロになったら、また別の会社で働けばいいだけだってな」

潔い！

「でも、50歳前後の人を雇ってくれる会社なんて、それほどないと思います。まあ、五十嵐さんの実力があれば別かもしれませんが」

「いや、そう甘くはない。コネなどがないと、多くの場合は年齢でアウトだ。好条件の転職は簡単じゃない」

「では、無職になるリスクも覚悟していたんですか？」

「もちろん。でもさ、日本にいて、頭を下げて真面目に働けば、必ず働き先はある。待遇面は別としてな」

「選ばなければそうですよ。飲食とか介護業界とか、人手不足の業界はたくさんありますから」

「そう。いくらでもあるんだよ。生活水準を気にしなければ、最低限の生活は営める。とはいえ、今のような生活はできなくなるだろう。昼は手作り弁当、晩酌は第三のビールに変わるかな。でも、メルティーキッスもたまに食べられる。幸せな人生だ」

生活水準が下がる話なのに、五十嵐さんが話すと、なぜか楽しそうに聞こえる。

「五十嵐さんみたいな成功者が、そんな人生でいいんですか？」

すると、すぐさま「成功者？」と笑われた。

「オレは自分が成功したなんて一度も思ってない。むしろ失敗だらけだった。でも、不幸だとは思わない」

五十嵐さんは手持ち無沙汰なのか、空になったポッキーの箱を触りながら話を続けた。

「人間はいつか死んで無になる。お前がうらやんでるＩＴベンチャーの社長や人気予備校講師だけでなく、社長も大金持ちも総理大臣もな。それが生き物の宿命だ。どれだけ高い山に登っても、いつかは必ず下りる。そして、ヨボヨボになって孫くらいの年齢の人に、シモの世話をしてもらう。所詮、人間の最後はみんな同じなんだ。だったら、プライドもへったくれもないだろ」

「それはそうですけど……。ぼくはさっき、できるなら成功したいと言いました。でも、『情熱大陸』で取り上げられるような大成功を夢見ているわけではありません。みんなから自分を認めてもらいたいというか、『後藤はすごい』『さすが』って言われたいです」

「なるほど、ま、誰でも承認欲求はある」

ぼくが五十嵐さんの顔を見ると、「あ、別にバカにしているわけじゃないぞ」と断りを入れられた。

「わかってます」

「後藤が成功を追い求めたいと心からそう思うなら、その考えに従って生きればいいんじゃないか？」

「はい、でも、どうやったらいいのか、よくわかっていません」

「オレは思うんだけど、後藤が欲しい小さな成功よりも、もっと大事なものを得てるんじゃないのか？」

「なんですか？　もっと大事なものって」

「後藤は、成功してみんなから認められたいって言ったよな」

「はい」

「つまり、成功して幸せになりたいってことだよ」

「ま、そうかもしれません」

「だから、後藤はもうすでに、すごく幸せなんだよ」

「えーっ」とつい発してしまう。「そんなわけないじゃないですか」

でも、五十嵐さんは笑わない。

「日本は世界でトップクラスに安全で豊かな国だ。そんな日本に生まれた。すこぶる健康。昔と違って戦争も食糧難もない。こんなに幸せなことはないぞ」

「そりゃそうですけど」

「明石家さんまさんが言ってるだろ、『生きてるだけで丸もうけ』って。本当にそうだと思う。幸福度に点数をつけることはできないが、お前の人生、10点満点のうち、9点はあると思う。ただ、後藤は、100メートル競走の陸上選手が0・01秒を争うような、9・95とか9・96というハイレベルな幸福度の勝負をしているだけなんだ」

「でも、その0・01にみんなこだわっているんじゃないんですか？　飲み会の愚痴なんて、出世や給料、子供がどの進学校に入ったとか、下世話なことばかりです」

「ま、そういう面はあるな。日本人に生まれただけで幸せだっていうなら、日本人は全員幸せだし、ケンカや自殺、心を病む人もゼロになるはずだ」

初めて五十嵐さんを言いくるめることができた。ぼくは意気揚々と、「でしょ」と人さし指を五十嵐さんに向けて立てた。五十嵐さんは引き締まった表情になった。

「後輩の話なんだけど、42歳の時に白血病で倒れた。他人にも厳しいが、自分にはそれ以上に厳しい優秀なエンジニアだった。彼は厳しい抗がん剤治療を精神力で乗り越え、奇跡的に復活した」

「よかったです！」

「オレも心から喜んだけど、『普通の生活が最高の幸せだと知ることができました』という彼の言葉が忘れられない。白血病になってから、病院通い、食事制限、抗がん剤治療、猛烈な不安、寝られない毎日、家族への申し訳なさなどが日常になってしまう。普通の生活なんてふっとんだというんだ」

「たしかに、それを言われたら、その通りです」

ぼくは五十嵐さんに向けた指をすぐにひっこめた。ぼくはつまり、甘えているだけなのかもしれない。現状の幸福を理解せず、ないものねだりをしているだけなのかも……。

第5章　業界で有名なSEになれますか?

鉄則21 社内にとらわれず、ＩＴ業界での出世を考えよ

　五十嵐さんはスマホから顔を上げずぼくに質問をした。

「ちなみに、後藤は、出世したいか？」

「ええ、まあ」ぼくは小さくうなずいた。

「会社で上り詰めるのは社長１人だけ。あとは、全員出世コースから落ちる。それが早いか遅いかだけの違いだと思うけどな」

「いや、社長になる気なんてないですよ。なれる器とも思っていません」

「まあ、そうだわな」

　五十嵐さんは、スマホを操作していることもあり、ときおり返事が適当だ。それに、社交辞令だとしても、「そんなことない」と言ってほしかった。

「でも、せっかくならみんなよりは出世したいです。最低課長にはなりたいし、なれるものなら部長になりたいです」

「オレの場合は、入社３年目の最初の人事評価で出世レースからふり落とされた。そういう意味では、いい人生になったと思う」

「出世できなかったことが正解ってことですか？」

「そうだ」と五十嵐さんはあっさり肯定する。五十嵐さんはスマホに夢中だから、表情があまり読み取れない。

負け惜しみで言っているのだろうか。五十嵐さんはスマホを見ながら「よし！」と小さく言った。ゲームでもしているのか？　それともこんな時間に誰かとチャット？　まさか、誰と？

五十嵐さんは、スマホを置いて顔を上げた。

「上司にペコペコして、やりたくない仕事をして、単身赴任で家族とも離れて、それでも出世できればいい。でも、もしそれで課長止まりだったら、オレの人生返せって思うだろ。いつかは出世コースから落ちる。なら、最初から落ちたほうが正解だろ」

「じゃあ五十嵐さんは、早い段階で出世欲がなくなったってことですか？」

「ああ、そうだ」

「ぼくは、出世欲を持たなくなった時点で、終わりだと思います。地位、名誉、金がすべてじゃもちろんありません。でも、出世を目指すのが『男』ってものだと思います」

「そこは人それぞれの価値観だろ。オレの隣人が少年野球の監督をやっているんだ。仕事はそっちのけで、土日どころか平日も野球漬け。すごくイキイキしていて、最高の人生だと思う。正直、オレはうらやましい」

ネット社会でなくリアルな社会で趣味が充実している、いわゆるリア充であろう。その方はきっと、会社の出世には全く興味がないんだろうな。

出世か……。

出世ってなんだろう……。

ぼくは何度も自問した。

だけど、人生の大半は仕事をしているわけであり、1日の大半も仕事で占められている。であれば、出世が気にならないわけがない。少なくともぼくは気になる。

そんなぼくの考えを察してくれたのか、五十嵐さんが新しい視点のアドバイスをしてくれた。

「後藤、その出世って、今の会社での出世に限った話なのか？　そこにとらわれないで、ＩＴ業界での出世って考えたら、見えてくる世界が変わるんじゃないか？」

「ＩＴ業界での出世って、どうやって判断するんです？」

「お前がさっき言ったろ。地位、名誉、金じゃないのか？」

「お金はわかりますけど、地位や名誉って、どうやって測るんですか？」

「どうせ答えはないんだ。自分の価値基準で測ればいい」

そりゃそうだ。正解なんてないんだ。

では、五十嵐さんの価値観は何なんだろう？　少なくともお金ではないと言っていた。

「そういえば、五十嵐さんは、転職に何を求めたんですか？」

五十嵐さんは、さすがに眠くなったのか、大きなあくびをした。しかし、目を数回パチパチさせたあと、力を込めて話をしてくれた。

「オレが転職してコンサルに行った一番の理由は、クラウドをやりたかったからだ。ＩＴの仕組みがクラウドに大きく転換するのを感じていた。本当に顧客が求めているものはこれだと思った。後藤の会社は今だってクラウド事業には及び腰だ。だから転職したんだ」

ぼくが気にしていることと同じだ。ぼくも最新技術を活用できる仕事をしてみたい。だけど、そんな会社があるのか、また、ぼくがそんな会社で活躍できるのかもわからない。

ただ、五十嵐さんの場合、うまくいかないリスクものみ込んで、自分がやりたい仕事を選んだということだろう。

「オレは、クラウドに関しては誰よりも詳しくなろうって努力した。その結果、クラウドの業界では名が売れたし、政府の委員もやった。年収も、同期の出世頭よりもよっぽど多いはずだ。オレの尺度でしかないけど、さっき話題に上った地位、名誉、金が少しだけあったと思う」

五十嵐さんの目には、説得力があった。そして、言葉には力強さを感じた。ただ、最後は遠慮がちに一言付け足した。

「といっても、吹けば飛ぶようなレベルの地位だけどな」

吹けば飛ぶレベルであっても、ぼくにとってはうらやましい限りだ。

「え、でも、同期の出世頭より年収が多いってことは、五十嵐さん、給料をめっちゃもらってたんじゃないですか」

「オレの給料の話はいいじゃないか」

「いや、気になりますよ！」

五十嵐さんは、フフッと笑った。

「いいじゃないか」

「たくさん給料もらってて、なんでやめちゃったんですか。もったいない」

「オレは金にこだわってるわけじゃない」

行きつくところは、やはりそこか。

とはいえ、出世を気にするぼくにとって、広い視野で出世を捉える考え方は有益だった。

「五十嵐さんの言う通りです。会社の出世じゃなくて、ＩＴ業界での出世って考えたら、やり方はいくらでもあるんですね」

なんだか夢が出てきた。ぼくは今まで、考えが硬直していた。それが、ぼくの幸福度を下げていたのかもしれない。世間はもっと広いし、価値観だっていろいろある。それなら、違う価値観になってもいいじゃないか、そう思えるようになっていた。

鉄則22 成功している人は、考え方も行動も別次元

ＩＴ業界で出世したいのであれば、今の会社をやめたほうがいい。でも、ぼくの力量や置かれている環境を考えると、会社に残ったほうがいい気もする。どっちがいいんだ。

「五十嵐さん、ぼくは会社をやめたほうがいいですか？」

気が付けばさっきと同じ質問をしている。

「それは、何を求めるかによって変わる」

「何を求めるか、ですか」

たしかに五十嵐さんの言う通りだ。華やかな仕事なのか、お金なのか。それとも、単に今の不満から逃げ出したいのか。もっと言うと、華やかな仕事であれば年収が下がってもいいのか。逆に年収さえ増えれば仕事の中身は関係ないのか。これは自分のハートに聞くしかない。

「そうだな、超高収入を目指すなら、今の会社は去ったほうがいいだろうな」

「どうしてですか」

「後藤の会社の場合、部長でも年収はたかだか１２００万円くらいだ」

「すごいですね」

ぼくはそう思った。実際にそれくらいの年収をもらってみたい。

でも、よく考えると、部長でそれだけって、少ないのかもしれない。金融系企業の場合、すでに１０００万円を超えている同級生がいる。

「ＩＴ長者という言葉もあるし、ＩＴ業界は華やかに思われがちだ。だが、現実的には世間がイメージするほどの高給ではない。他の業界を見れば、もっと高収入の職業はいくらでもある。わかりやすく言えば医師とか弁護士とかは収入が多いし、不動産でもうけている会社の年収もえぐい。でも自分で事業を起こして成功している人の年収は桁が違う。本当に億円単位の収入を得ている」

「そうですよね……」

ぼくは途方もない気分になった。

億単位のお金！　そんなものがあったら、ぼくの人生はどう変わるのだろう？

だけど、その変化は、ぼくが本当に望むものだろうか？　妻の美香や娘の渚が、心から喜ぶものだろうか？　少なくとも渚は、お金よりもパパとカレーを作ることが大事なはずだ。

ぼくが頭を悩ませている中、五十嵐さんは年収の詳しい話をしてくれた。

「もちろん、有名企業のトップだったら、年収1億円どころかもっともらえる。だけど、後藤の会社だったら、社長だって、所詮は親会社から降りてくる。年収はせいぜい2000万円程度。まぁ、昔噂で聞いた限りでは、2000万円もないらしいけどな」

「夢がないです……」

「そうさ、でも、それが現実だ。お金を稼ぐって本当に大変なんだ。成功してるソフトバンクの孫正義さんの本でも読んでみろ。やっていることの次元が違う。孫さんのビジネスでの成功は後藤も知っている通りだが、若い頃から別次元だ」

「えっ。そうなんですか」

「そう。考え方や行動が別次元だから、年収も別次元なんだ。金は簡単に稼げない」

「考え方もですか」

「そうだ。評価が悪いとか、後輩が先に昇進したとか、そんな無駄なことを考えてると思うか」

そう言われると、自分が恥ずかしくなる。

「成功者は目指す夢が大きいから、ぐだぐだ考える暇があったら、まず行動する」

五十嵐さんはそう言って、孫さんの若い頃の話を教えてくれた。

「まず、16歳で単身渡米して、先生に直談判して高校を飛び級。そしてノーベル賞受賞者を100人以上輩出した超超名門のカリフォルニア大学バークレー校に入学。これだけでもすごい。東大生だって簡単には入れない。異文化の国でしかも英語で、最高レベルの大学で授業を受けるんだぞ」

「16歳で単身渡米って。ぼくにはまずそこから無理です……」

「そうなんだ。自分が16歳の時なんて、将来のことなんか全く考えてなかった。そして、考えたとしても、単身渡米なんて行動は、オレには勇気がない」

そうは言いながらも、五十嵐さんだってぼくからするとすごい人だ。孫さんの話だけでなく、今までたくさんの話をしてくれた。いろんな本を読んで常に勉強しているんだろう。

一方のぼくはどうか……。そう思うと、身につまされる。

五十嵐さんの話が続いた。

「それで、大学生の時に自動翻訳機を発明してシャープに1億円で売った。その後、日本から『インベーダーゲーム』などの機械を中古で買いつけてアメリカで大もうけ。若い頃から次元が違うだろ」

「本当にそうです」

「とにかく孫さんは行動力が違う。そう考えると、オレもお前も、所詮は凡人だ」

「孫さんと比べてしまうと、誰だって凡人ですよ」

「しかし、凡人だから不幸ってことではない。孫さんと後藤のどっちが幸せかなんて、比べようがない」

たしかに！　と思う。ぼくは家族と小さな幸せを感じている時間も好きだ。でも、孫さんの人生には憧れる。

「でも……。孫さんのほうが幸せに決まっているじゃないですか」

「あ、やっぱり？　オレもそう思う」

「ちゃかさないでくださいよ」

「オレが孫さんのほうが幸せだろうと思ったのは、地位や名誉、お金ではない。孫さんの場合は、自分の夢や目標に向かって努力する。そして、多くの素晴らしき仲間を得て夢や目標を形にする。そういう面での幸福感だ」

「どうせぼくは目標を失っていますよ」

ぼくは露骨にすねた顔をした。

「まあでも、後藤の場合はそこそこ技術力があるし、漠然としているが、上昇志向がある。前に進もうと努力することはいいことだし、後藤自身の幸せにもつながるさ」

「でも所詮、ぼくは凡人なんですよね」

「そうだ」

五十嵐さんは社交辞令もなく、即答してくる。もう少し気を使ってくれてもいい気はする。

「わかりました。凡人でもいいです。実際そうだし。でも、凡人なりに行動してみたいです。五十嵐さん、ぼくの場合、どう戦ったらいいでしょうか。実際、五十嵐さんは、どう戦ったんですか？　ぜどうやって、クラウドの世界に飛び込み、政府の委員などを務めるまでになったんですか？　ぜひアドバイスをください」

「どう戦うかって？　そんなの簡単だろ」

「それを教えてください」

「凡人なら凡人らしく戦う。ただそれだけだ」

「凡人らしく？」

「そうだ。そのために、まずは『捨てる』ことだ」

鉄則23 とことん「捨てる」が成功への近道

五十嵐さんの言葉は端的だったけれど、言いたいことはなんとなくわかった。

春村さんも、なるほど、とうなずいている。

「それはつまり、器用貧乏にならないってことですね」

「そう。例えば、プロ野球選手を見てみろ。あの人たちはすごい。オレの高校の野球部は一回戦を勝つのがやっとってレベルだった。それでも1回勝てば大会の参加校が半分に減るわけで、真ん中以上だ。オレはそれでも立派だと思っている」

「ぼくもそう思います」

「五十嵐さんは、どう戦ったんですか？　どうやって、クラウドの世界に飛び込み、政府の委員などを務めるまでになったんですか？」
「どう戦うかって？　そんなの簡単だろ。凡人なら凡人らしく戦う。ただそれだけだ」

春村さんも「真ん中だったら平均以上ですしね」と笑顔で同調してくれる。

「そこからさらに上を目指すとなると、試合をする度に半分になって半分になって、を繰り返し、地区予選の頂点に立つ。だが、まだ上がいる。次は県大会だ。愛知県の場合、参加校が２００校近くもいる。確率的には優勝するなんて、夢のまた夢だ。それも勝って、全国で優勝する。それだけでもすごいことだろう」

「はい、雲の上です」

「でも、プロ野球の世界だと、甲子園で優勝したからって、活躍できる選手はごく一部だ。本当に少ない」

「たしかにそうですよね。すごく厳しい世界です」

「そんな超一流選手だらけなのに、プロ野球では複数のポジションをこなす選手はごく少ない」

「最近は大谷翔平選手が二刀流をやっていますが、あれは例外ですよね」

「そう、マンガの世界だ。普通は1つのポジションしかやらない。それだけ競争が厳しいからだ。つまりだ。あれだけの一流選手でも、1つのことしかやらない。だったら、オレたちのような凡人が、あちこち手を出すべきではない」

「たしかに……」

ぼくの口からため息が漏れた。

プロ野球選手と比べるのは変かもしれないけど、ＩＴ業界だって、成功している人は皆、莫大な努力をしている。たいした努力もしていないぼくが「成功したい」なんて、どれだけ身勝手な考えなのかと自覚させられてしまう。

「だから、まず、捨てるんだ。プロ野球選手も器用だから、その気になればビジネスだろうがテレビ出演だろうが、なんでもこなすに違いない。でも、やらないんだ。それは、そんなことをやってる暇がないからだ。一塁手なら、一塁の守備練習とバッティング練習、それだけをひたすらやる」

「本当の一流はそうなんですね」

「すごい世界だよな」

「じゃあ、ぼくは具体的には、何を捨てればいいでしょうか」

「まず、出世だ」

「出世を捨てる、ですか……」

「サラリーマンの日々の生活に大きく影響するものの1つが出世。これに専念した場合、犠牲が大きい。逆にこれを諦めれば、時間的余裕だけじゃなく、心の余裕も大きくなる」

「実際のところ、ぼくも心の中では半分くらい『出世』を捨てています」

後輩にも抜かれている今だと、実質的に大出世は無理だ。

「半分じゃ駄目なんだ。全部捨てるんだ。中途半端が一番よくない」

「でも、チャンスがあれば、くらいに思ってるのも駄目ですか？」

「駄目だ。何かを『得る』ことと何かを『捨てる』ことは、同じなんだよ」

「同じ？」

「そう。捨てなければ得られない。だけど、みんな捨てたくないんだ。本当に捨てている人は、ほとんどいない。『出世には興味ありません』なんて言ってる人でも、大概は捨ててない。上がれるものなら上がりたいし、給料も増えたほうがいいからだ」

「たしかに……」

「これは人間誰しもが持つ欲望だし、間違ってない。だけど、それだと、ブレたまま生きてくことになる。繰り返すが、その人生は間違ってない。ただ、何かを成し遂げたいと思うなら、キッパリ捨てるしかない」

キッパリ。ぼくは自分を納得させるように口の中で繰り返した。

本当に、ぼくにできるだろうか？　キッパリと、欲しかったものを捨てるなんて。

「アップルのスティーブ・ジョブズも『やってきたことと同じぐらい、やらなかったことに誇りを持っている』と話していた。成功した人は、みんな何かを捨ててるんだ」

「少しだけわかりました」

「本当に捨てたやつは、強いぞ」

五十嵐さんはしゃべり過ぎて喉が渇いたのか、自動販売機でお茶を買った。

「五十嵐さんは完全な成功者だと思っています。でも、今のぼくの会社にいた時は、出世コースからは大きく外れていたんですね」

「40歳を過ぎても係長のままだったから、年下の上司が多かったな」

40歳を過ぎて係長というのは、うちの会社の昇進スピードとしてはかなり遅い。でも、くやしいとか、落ち込む様子もなく、五十嵐さんはニコニコ笑っている。

「出世を捨てたからこそ実力がついた、ってことですね」

「負け惜しみに聞こえるかもしれないけど、そういう面はあるな。人間万事塞翁が馬だ」

不幸だと思ったことが、実は幸運だった、またはその逆もあるということだ。

「出世コースに乗って、やりたくもない調整業務やくだらない会議、無駄な飲み会だらけの人生は、楽しくはないですよね」

「そういうことをのみ込んで出世して、自分が権限を持てる立場になったら組織を変えようっていう志が高い人もいる。出世するっていうのは、否定されるようなことでもない。それに彼らが上でがんばってくれるから、組織が成り立っているんだ」

「なるほど」

認めたくはないが、服部課長もそうだ。会社で必要な雑務を引き受けてくれているわけだ。

「とはいえ、出世を完全に捨てられると、全く違う人生を生きられる。後藤の『認めてもらえない』なんて悩みもなくなって、優雅な人生になる。ただ、ほとんどの人は、そう簡単に割り切れない。人間の心の奥底にある煩悩が邪魔をする」

その通りだと思う。ここまで五十嵐さんに説明してもらったのに、ぼくの心にはまだ出世への意識が残っている。今の会社にいる限り、出世を完全に捨てることは難しいだろう。ぼくは本当に救いがたい存在だ。いや、もしかすると、すべての人間がそうなのかもしれない。

鉄則24 SEの能力は「顧客のために割いた時間」で磨かれる

ふと気づいた。ぼくら、しゃべってばかりで、トラブル対応をしていない、と。

春村さんを見ると、彼女も少し、そわそわしている。やっぱり、直すのに専念したいのかな？

それとも、他に理由があるのかな？

「そういえば五十嵐さん、サーバー室に戻らなくてもいいですか？　まだトラブル対応が終わっていませんよね」

「大丈夫だ。今できることはほとんどない。というか言ったろ、トラブルのときは、言い訳をしない、ご飯を食べない、家に帰らないのが大事だって。全部やってるんだから、やるべきことの8割は終わったようなものだ」

「五十嵐さんは、直っていなくても仕方がないと言ってましたしね」

五十嵐さんは、ぼくの言葉をフフッと笑って受け流し、春村さんを見た。

「それより、春村さんは眠くない？　こいつとの話は長いから、眠っててもいいよ」

「大丈夫です。おふたりの話、とても参考になりますから」

そう言いつつも、春村さんは少し眠そうにしていた。

「参考になる話ってあったかな？　どうでもいい話ばかりだけど」

そう言ってちゃかす五十嵐さんであったが、ぼくにとっては真剣な話ばかりだ。

春村さんも、同じ気持ちだったのか、五十嵐さんに向かって口を開いた。

「私、五十嵐さんは本当に優秀だと思います。私の会社にも優秀な人がいます。でも、五十嵐さんみたいにしっかり考えている人はいません」

「持ち上げても、何も出ないぞ」

「いや、ぼくも春村さんと同意見です」

五十嵐さんは少し居心地悪そうに照れた。

そんな五十嵐さんを見ながら、ぼくは話を続けた。

「ぼくの会社って、親会社が大企業ですし、その系列ですから、高学歴で優秀な人がたくさんいます。そんな優秀な人たちなのに、出世して管理職になって、無駄な調整業務ばかりをやっています。なんか、もったいないなーって思うんです」

ぼくは古本で読んだＩＢＭの話を思い出していた。マイクロソフトがまだ零細企業だった頃の話である。ＩＢＭというコンピューターの巨人が、マイクロソフトにPC用ソフトの開発で惨敗した。その原因は、優秀なプログラマーが若くして昇進して管理職になり、現場には能力が低いプログラマーばかりが残るという人事システムにあったと書かれていた。まさしく今の会社と同じ人事システムだ。

「後藤の会社には、オレと比べものにならないくらい優秀な人が集まっている。だけど、今なら、彼らに仕事で負ける気はしないな」

「仕事の力量では、五十嵐さんのほうが完全に上でしょうね。お金を稼ぐ力も、ＩＴ業界での地位も、周りからの人望も」

「うれしいことを言ってくれるな。実際、今のオレのほうが仕事で成果を出せると思う。それは能力が高いとかじゃなく、どれだけ顧客のために時間を割いてきたか、ということなんだ」

「顧客のために、ですか？」

「顧客に向かって真剣に仕事をする、これが一番、成長する。オレはほぼ１００％の神経を、顧客に向けて仕事をしてきた。めちゃくちゃ考えたし勉強もした。本や機材を整えて家で夜な夜なプログラムを書いたり、実機で最新技術を検証したりした」

「すごいですね……」

「社外の会合にも参加して人脈も築きつつ、知見を深めていった。顧客に最高のパフォーマンスを発揮できるように努力を続けた」

「社内の飲み会にはほとんど参加せず、ですか？」

「もちろんだ。無駄な飲み会には行かない。飲み会はコミュニケーションのために有益な場合もあったが、2次会、3次会と全部に行く必要は全くない」

完全に同意だった。

「出世している人たちは、飲み会を断らないですよね」

「そうなんだ。オレは出世した彼らの気持ちはわからないけど、いろいろと窮屈さを感じているんじゃないかと思ってる」

「五十嵐さんが言われること、なんとなくわかります」

「オレは、どんな顧客のどんな仕事も全力でやったし、考えに考え抜いたから、実力もついた。その結果、失敗もあったけど、顧客からの多くの信頼を得たし、結果も残せた。一方、出世している社内の優秀な彼らにはそういう貴重な経験が少ない」

「そうですよね。決して、顧客のことを無視しようとしているわけじゃなく、顧客のことを考える以上に、出世のためには社内のことを考えなければいけないですから」

春村さんが、うんうんとうなずいている。

「そうだ。社内の雑用や上司からの無駄な命令、報告に振り回されるんだ。そして、飲み会やゴルフも行かなければならない。非常に忙しい」

「それ、本当にそう思います」

五十嵐さんは、友人である雑誌の編集長の話をしてくれた。

「仲がいい編集長が言ってた。仕事をがんばってきたら出世して、いつの間にか5誌の編集長を掛け持ちすることになった。だけど、毎日会議の連続で、何も面白くないと。読者が何を求めているか、どんな雑誌を作ったら喜ばれるか、それだけを考えていた現場の仕事に戻りたいって。あれは本心だと思う」

「そう考えると、ぼくはまだ主任で現場の仕事です。無駄はありながらも、顧客に向けた仕事に専念できている方だと思います」

「そう。だから、いい仕事ができるし、大きく成長できる」

「はい、恵まれている気がしてきました」

「ただ、後藤もわかっていると思うが、いい仕事をするのと出世は別だ。もし出世をしたいのなら、顧客へ向けている力を社内に向けて、社内営業をすることも大事だ。ただ、勘違いするなよ。出世が間違っているわけではない。人によって仕事に対する価値観が違う、というだけだ」

鉄則25 成功は目指すものではなく、あとからついてくる

ぼんやりとしていた「成功」への道しるべが、少し見えてきた気がした。出世というものにとらわれず、顧客に向かって真剣に仕事をすることが成長につながる。であれば、今の会社にいたって、もっとできることがある気がする。

ただ、自分自身の気持ちがわからなくなってきた。一体、ぼくはどんな成功を求めているだろうか。

考え込むぼくに、五十嵐さんが話しかけてきた。

「後藤は、成功したいって言ってたな」

「はい」

「1つ大事なことを教えてやろう。成功することを目指す人は、成功しない」

「えっ。そうなんですか？　だって、成功してる人は大きな成功を夢見てやってるんでしょう？　孫さんだってビル・ゲイツだって、みんな成功を目指していると思います」

「ちょっと違うんだ」

「どういうことです？」

『成功』という、漠然としたものを目指して努力したわけじゃないってことだ。具体的な夢や目標を目指して努力したんだ。世の中の役に立ちたいとか、世界のことを強く願ってね。孫さんも、一番大事なのは『志と理念』と言っている。尋常じゃない努力をしたとしても、成功を目指してやるのか、高い志でやるのか、その差は小さいようで、すごく大きい」

「うーん、どうなんでしょう。ぼくには理解できません」

「ちなみに、後藤の場合、どうしたら成功だと思う？」

「そうなんですよ。ぼくもそれを考えていました」

だから駄目なんだ、きちんと考えろ。五十嵐さんは、そうは言わんばかりの顔をする。

「さっき後藤が同級生の話として語ってくれた、テレビに出るとか、賞を取るとか、そんなことか？」

「ま、一例としては……」

「それは、成功なのか？」

言葉につまった。たしかに、成功かと言われれば、違う気がする。

「例えば」と、五十嵐さんは話しだした。

「松下幸之助さんは、自分の能力を最大限発揮することが成功だと言っていた。イチロー選手も、似たようなことを言っていた。あれだけの活躍、記録を残せたら、大成功だってことは一目瞭然だ。でも、大成功を手に入れた後でも練習を続け、現役への強いこだわりがあった。『自分への挑戦をしている』ということだよ」

「なるほど……」

「彼らは世界的に驚くような結果を残して、きっと大きな満足感を得たと思う。でもそれは、みんながチヤホヤしてくれるからうれしいっていうことじゃない」

たしかに、イチロー選手は、女性にチヤホヤされたいなんて思ってなさそうだ。そもそも野球とカレー以外に興味がなさそうでもある。

「後藤は周りを気にし過ぎているんじゃないか？　話を聞いていると、周りの人よりも成功して優越感に浸りたいとか、そんな理由ばっかりに聞こえる」

「でも、お笑い芸人は、女にモテたい、金持ちになりたい、そう思ってこの世界に飛び込んだって聞きます」

「きっかけはそれでもいいと思う。オレの場合も、社会に貢献しようって気持ちより、最初はお金を稼ぎたいなどの邪念のほうが強かった。でも、それだけだと途中で挫折するんだよ」

「なるほど……」

「俳優の佐藤二朗さんが『画家になりたい人は画家になれない。絵を描きたい人が画家になれる』って言葉を紹介していたよ。彼が好きな言葉だそうだ」

「画家になりたい人と、絵を描きたい人ですか？」

ぼくは五十嵐さんが言っている意味が、ピンとこない。

「画家という職業に憧れたのか、純粋に絵が好きなのか、という違いだ」

「なるほど」

「後藤も夢を持ってＩＴ業界に入ってきたはずだ。システムエンジニアになりたいと」

「ええ、まあ」

「だが、実際に仕事をすると、嫌なこともたくさんある。すると、『思っていたのと違った』『他にやりたいことがある』などと言ってＩＴ業界を去る人間もいる」

実際、そんな人をたくさん見てきた。突然、「音楽がやりたかったんです」と去った人もいた。

五十嵐さんはペットボトルのお茶を握りしめながら、話を続けた。

「一方、ＩＴの仕事が本当に好きなやつはやめない。嫌なことがあっても、ＩＴの仕事ができることが楽しいのだ。そういうやつが本物になる」

「なんとなくわかります」

成功なんてのは、目指すものではない。真剣に取り組んだ結果、あとからついてくるものだ。

五十嵐さんはぼくにそう言いたいのだろう。

「この前」と、五十嵐さんは言って、ペットボトルのお茶をぐびぐびと二口飲んだ。そして、ぼくを見た。

「喫茶店で、仕事をしていたんだ。すると、近くにいたおじいさん――80歳は超えていたかな――の1人が、言ったんだ。『死んだら負け』って」

「誰と勝負しているんですか？」

五十嵐さんはフフッと軽く笑った。

「でも、その2人は大きくうなずき合っていたんだ。その2人にとって、長生きするっていうのは、成功ってことなんだと思う。つまり成功の定義は、人それぞれ。他人と比較することでもない」

「そうですよね……」

本当にそうなんだ。だけど、長生きが成功とは、今の自分には思えない。

「ぼくって、何を求めているんでしょうね」

「多くの人は、答えなんて持ってないさ」

「そんなもんですかね？」

「そう思うぞ」

「ただやはり、人と比べちゃうんです。だから、誰かがすごいって言ってくれるようなわかりやすい成功を求めちゃうっていうか……」

「周りがどうかにとらわれ過ぎると、自分のよさや、やりたいことが見えなくなってしまうぞ」

ぼくは返す言葉が見つからなかった。

「周りと比べてどうだ、という成功を目指すな、ということですね……」

口では五十嵐さんの話に同調したものの、だからといって、高い志があるわけでもない。

五十嵐さんは、そんなぼくに、優しい言葉をかけてくれる。

「いや、世の中に正解はない。だから、後藤が成功をしたいと思うのなら、自分が思う成功に向かって、努力してみたらいいと思う」

成功を目指すなんて本質ではないとわかっていながら、五十嵐さんはぼくの気持ちを理解してくれる。なんて優しい人なんだ。

「ぼくなりに、努力は続けたいです」

「そうだ。ただ、そのとき、ちょっと工夫をしよう。間違っても、成功というものを定義せずに、『周りの人より上』などの中途半端な意識にしてはいけない。それだと、いつまでたっても成功にはならない。なぜなら、ゴールが曖昧だからだ」

鉄則 26 「成長欲求」と「貢献欲求」を追い求めよ

「ちなみに、後藤は成功したら、例えば、同級生のように、ＩＴベンチャーの社長や人気予備校講師になったとしたら、何をしたいんだ？」

「成功したらですか……。成功したいとだけ考えて、そんなこと考えてみたこともないです」

「では、質問を変えよう。成功して使いきれないくらいの大金を得たら後藤は何をしたい？」

「うーん。なんだろ」

本当に思い浮かばない。妻と子を、ディズニーランドに連れて行く？　いや、妻は「あなたと一緒ならどこでも楽しい」って言うから、遊園地じゃなくてもよさそうだ。じゃあ、近所の公園で日なたぼっこをする？　それも、いいかもしれない。でもそれって、予備校講師とかＩＴベンチャーの社長にならなくてもできるような……。

ぼくはわからなくなって、春村さんに水を向けてみる。

「ちなみに、春村さんは？」

「そうですねえ。アメリカに行って、本場のメジャーリーグを見たいです」

「へえ！　野球が好きなんだ！」

「姉が、野球観戦が好きで、よく甲子園に連れて行ってもらいました。姉は、新婚旅行でアメリカに行って、大谷選手の試合を見てきたって自慢していました」

なるほど。メジャーの試合で観客が立ち上がって応援するのは楽しそうだ。

ぼくはゴルフをしないし、最近は旅行にも行かないが、一般論としてまとめてみた。

「一般的な欲望といえば、高級車を買ったり、旅行に行ったり、ゴルフに明け暮れたり……おいしいものを食べたり、ですかね？」

五十嵐さんはうなずいている。

「まぁ、楽しいだろうな。でも、旅行だって、ゴルフだって、1カ月もすれば飽きる。食事だって、毎日フレンチやら高級和食やらを食べてみろ。必ず飽きる」

「漬物とお味噌汁が食べたくなりそうですね」

「『高級品を買いたい』『おいしいものを食べたい』『どこどこに行きたい』というのは、わかりやすい欲求だ。でもそういう自己満足的なのは、達成してもすぐに飽きるんだ。だから、『お金が欲しい』という欲求を満たしても、本当の意味では満足できない。お金で買えるものにたいした価値はないからだ。『地位が欲しい』『誰かに勝ちたい』なんて欲求も同じ、一過性の満足に過ぎない」

ぼくが言っている「成功したい」ってのも一過性の満足に過ぎない、つまりそれを得ても満足しないってことなんだろう。

「どれだけやっても飽きないこと、それがぼくにとって一番したいこと、っていう意味ですね」

やっと五十嵐さんの質問の意図がわかった。

五十嵐さんは、「わかるようになったじゃないか」と、うれしそうだ。

「でも、本当にしたいことが、見つからないんですよね。そこが駄目なんですけど」

「誰でもそんなもんだと思うけどな」

「五十嵐さんも？」

「そう。だから、たいした成功もしてない」

そう言って五十嵐さんが大笑いをした。つられてぼくも笑ってしまった。徹夜をすると、ちょっとしたことで大笑いをしてしまう。

「ただ、自分が成長しているって感じたり、誰かに喜んでもらえたりするっていうのは、悪い気がしない。そんなことないか？」

「悪い気持ちがしないどころか、ぼくはすごく好きです」

「だよな。成長を感じることって幸せだし飽きることがない。それに、誰かに喜んでもらうことも、飽きることは決してない。喜んでもらえるというのは、人間にとって、とても幸せなことなんだ。だからＳＥという技術職のエンジニアは『成長欲求』と『貢献欲求』、この２つを求めているとよく言われる」

「たしかに……」

五十嵐さんは、指を立てる。

「いいか後藤、だから、自分が成長できる仕事で、そしてそれが顧客に役立つ仕事であれば、こんなに楽しいことはない。オレや後藤が選んだＳＥという仕事は、この２つを満たせる素晴らしい仕事だ」

「なんだか、すてきですね」

春村さんが目を輝かせて言った。相変わらず少し眠そうだったけれど、楽しそうに聞いてくれている。

「五十嵐さんにとって、ＳＥは天職なんですね」

「たぶんそうなんだろう。いくらお金を稼いだとしても、何歳になっても、ＳＥという仕事を続けていきたいとは思う。だけど、スパッとやめたい、そう思うときもある」

「そうなんですか？」

五十嵐さんがそんなこと言うなんて、ぼくには信じられなかった。

「だって、仕事ってしんどいじゃん。ＳＥの仕事は、もちろん楽しいし、充実感や達成感もある。だけど、つらいことも多い。だから、後藤は成功した人をうらやましいと思うかもしれないけど、実際にやってみると、つらいだけかもしれない。誰もがうらやむような芸能人だって何人も自殺しているしな」

「テレビでタモリさんとか所ジョージさんを見ていると、楽しそうで、しかも楽そうに見えます」

そう言ったぼくだったが、「勝手な想像ですが」と小声で付け加えた。

春村さんが、「そういえば」と言って、読んだ本の話をしてくれた。

「私、広島カープとメジャーで大成功した黒田博樹選手のファンで、彼の著書を読んだんです。そしたら、『中学以来、野球を楽しいと思ったことは本当に一度もない』と書かれていてびっくりしました」

五十嵐さんは、わかる、わかるとうなずく。

「超一流ともなると、練習が厳しいし、プレッシャーも厳しいということなのだろう。外から見るのと実情は違うってことか」

「成功した人ですし、華やかにしか見えませんけどね」

春村さんの言う通り、憧れの世界の人だ。

「人生で悩まない人はいない。成功者だって、みんな、悩みがあり、もがきながら生きている」

そう言って五十嵐さんは「おそらくタモリさんも」と付け加えた。

他人の芝は青く見える。ぼくがうらやましいと思った同級生だって、本当に幸せかどうかはわからない。それに、同じ立場になったとしても、幸せかどうかは人による。

「わかってきました。自分が就いたＳＥという仕事を天職と思い、イキイキと仕事をしてみることが大事なんだと」

「後藤、お前、だいぶわかってきたみたいだな」

五十嵐さんがうれしそうに言う。ぼくもうれしかった。

自分が成長しているのを実感するとき、人間は幸せな気分になるらしい。

第6章　稼げるSEはなにが違いますか？

鉄則27 「お金を稼ぐ」の難しさを理解せよ

「お手洗いに行ってきます」と春村さんは席を立つ。

休憩室は2人になった。

「そういえば五十嵐さん」

「どうした？」

「五十嵐さんの話を聞いて、人生において、お金は大事な要素ではないと思うようになってきました」

「オレもそうだ。他に大事なことがあると思っている」

「では、転職の時は、年収を気にしなかったんですか？」

「いや、そんなことはない」

「あれ？　そうなんですか」

「別に、高い年収をもらえたら、うれしいってことではない。ただ単純に、安い給料しかもらえないんだったら、オレが目指すクラウド事業にニーズがないとか、オレに実力がないってことだと思ったんだ」

「なるほど……」

「それを測る指標として年収があった」

五十嵐さんはキリッとした表情をした。

「数字で表されるから、明確な指標ですね」とぼくはうなずいた。

「そうなんだ。オレは、自分の実力や実績を開示した上で、どの仕事で勝負するのが一番いいのかを見極めたかった。例えば、クラウドをやるにしても、運用保守のエンジニアだったり、セールスエンジニアだったり、開発などいくつか職種がある。ニーズと自分の能力のマッチングをしようとしたのさ。そのために、提示される年収というのはこだわったというか、気にした」

「高い年収をもらえるってことは、イコール、求められているってことですものね」

「そうだ、強く求められている仕事をしたかった。求められている仕事であれば、きっと、顧客に喜んでもらえる仕事なんだろうと思った」

「転職した後、独立して起業されたって聞きましたけど、仕事はどうでした？」

「顧客にはとても喜んでもらえたと思う」

「独立してからのほうが喜んでもらえたってことですか？」

「そう。オレが独立したのは、大きな組織のデメリットを感じるようになったからだ。組織にいると、雑務が増えるし、組織に縛られてやりたいことができない。つまりいい仕事ができない。スピードも遅い。それだけではない。大きな会社だと、顧客に提示する金額がどうしても高くなる」

「うちの会社も、顧客からは安くないお金をいただいています。でも、駅前の一等地にあるオフィスの賃料や社長やら幹部の給料も稼がなくてはいけません。高くなるのは仕方がないと思います」

「そういうことだ。それ以外には、ＩＳＯなど各種規定への準拠とか、コンプライアンス、法的なしがらみも多い。だから、自然と提示額が高くなる。一方、独立したら、同じことを3分の1とか、場合によっては10分の1の価格で提供できる。なおかつ、社内手続きを踏まないからスピード感がある。クラウドだったら、即日にでもシステムを導入できる」

「そこに顧客への価値を見いだしたわけですね」

「ま、そういうことだ」

「なるほど」

だが、五十嵐さんは小さくため息をつく。

「独立してからは、会社勤務以上に雑務をやらなければいけなかった。これは予想外だった。電話対応やコピーもそうだし、会社を運営していくとなると、経理もしなければいけない。雑務だらけだ」

「会社にいる時は、誰かがやってくれていたんですね」

「そうだ。そんな当たり前のことすら気が付けなかった。社員を雇うと、それはそれで悩みが増え、やりたいことに専念できなくなる。だから社員は雇わず、電話応対や経理などはなるべく業務委託で外注した。それでも、外注できない雑務は大量に残る。読みが甘かったって話だ」

「そうなんですね」

「それと、サラリーマンは極端な話、会社に行きさえすればお金をもらえる。仕事で成果を出さなくても、だ。それがどれだけ素晴らしいことか、独立してから痛感させられたよ」

「独立した場合、働かなかったら収入はゼロですものね」

「もちろん。加えて、仮にどれだけ長時間働いたとしても、顧客がオレの仕事に価値を認めてくれなければゼロだ。多少の蓄えはあったし、失敗してもなんとかなるとは思っていた。だけど、そうは言いながらも金銭面での不安は常にあった」

会社勤めのサラリーマンにも、独立したフリーランスにも、それぞれのメリット・デメリットがある。どちらの働き方がいいということではない。自分がどうしたいかだろう。

「五十嵐さん、サラリーマンをやっていると、無駄な会議・出張が多いですけど、独立してからは、『とりあえず集まりましょう』なんて会議は絶対にしないんじゃないですか？」

「そうだな。時間がもったいない」

「仕事のやり方も変わりました？」

「もちろん。オレはサラリーマン時代に、たくさんのビジネス書を読んだ。多読を通じて、仕事はどうあるべきかというビジネス感覚を養ってきた。だから、サラリーマン時代でも効率的な仕事をしていたと思っていた。でも、本で得た知識なんて、薄っぺらいものだった」

「本とは違いますか」

「もちろん。独立してから、本当の意味でビジネス感覚が身に付いた。まず、ビジネスに対する目つきが変わった」

ぼくもビジネス書はよく読む。でも、それだけじゃ駄目なのだろう。「起業」や「独立」という言葉のかっこよさに憧れがあったが、そのハードルが、急に高くなった気がした。

「さっきも言ったが、がむしゃらに働くだけではお金は入ってこない。競争相手を蹴落とし、仕事を勝ち取らなければならない。だから、どうやったら稼げるかを真剣に考える。まさに、生きるか死ぬかの世界だ」

「サラリーマンはそこまで追い詰められることはありません。終電まで飲んで、次の日に二日酔いで出勤しても、給料はもらえます」

「本当にそう。独立した時は、酒の飲み方も変わったよ」

「ほどほどに、ということですか？」

「次の日の仕事に支障が出るからな」

「ですよね」

「それとやっぱり、一番大変なのが顧客対応だ。顧客は品質面、金額面、納期面などあらゆる面で非常に厳しい」

「それ、自分でも思うんですけど、システムを売る立場にいると、顧客はワガママで厳しいなあと思います。でも、いざ自分が客の立場になると、厳しい目になります。価格面でいうと、ネットで比較して少しでも安い店から買うようにしています。無駄なお金は絶対に払いたくないです」

「まさしくそうだ。顧客は皆、容赦がない。そんな厳しい人たちから、他社ではなく我々にお金を支払ってもらう必要がある。そのためには、卓越した技術力だけでなく、営業活動においてもすさまじい努力を払わなければならない」

「五十嵐さん、よく生きてきましたね」

ぼくは素直に感心してしまった。

鉄則28 人が喜ばないビジネスは成り立たない

「春村さん、遅いですね。大丈夫かな」

「彼女の好きにさせてやろう」

五十嵐さんは、お茶を飲みながらそう言う。

トイレを好きにさせてやろうって、どういうこと？　五十嵐さん何かを知っている？

いや、そんなことはないはずだと思い直して、「でも、おなかが空きましたねえ」と話題を変えてみる。五十嵐さんも「そうだな」なんて答えたが、ぼくはＳＥの仕事の話を続けた。

「五十嵐さん、さっきの話で改めて感じました。やはり、仕事は顧客あってのこと、ということですね」

「そうだ。徹夜でがんばって作ったとか、生活がかかっているとか、そんなのは顧客からしたらどうでもいいこと。オレが独立して仕事をしている時に意識をしたのは、顧客にいかに喜んでもらうか。そこだけを考えて仕事をした」

「いかに喜んでもらうか、ですか」

「顧客に喜んでもらうって、すごく難しいんだ。例えば、後藤は家族を喜ばせられるか？」

「……難しいです。実は今日、娘とカレーを作る約束をしていたんです。たぶん、娘は怒っています」

「そうか、それで早く帰りたかったのか。悪いことをしたな」

「あ、いや、仕事なので、仕方がないです」

そう言ったぼくだったが、少しホッとした。五十嵐さんに、ぼくが早く帰りたいと言った理由を伝えることができたからだ。おそらく、単にこの場から逃げ出したかっただけ、そう思われていたはずだ。

五十嵐さんは、ときおりスマホに目をやりながらも、話を続けてくれた。

「家族を喜ばせようと思っても、単にプレゼントを贈ればいいとか、遊園地に連れて行けばいいなど、単純なものではない。こちらからいくら喜ばせようとしても、相手がそれを望まなければ意味なしだ。喜んでもらう方法の基本は、相手の要求に100％応えることだ。だけど、仕事をいくつか掛け持ちしていて対応できないときや、そもそも身勝手な要求もあったりする。だから、100％応えるなんてことは、まずできない」

「それに、相手の要求がなにか、明確にわからないこともあります」

「それな。顧客自身も、よくわかっていなかったりする。だから、システムを作るときには要件定義が大事になってくる」

妻はぼくに何を望んでいるのだろうか。ぼくの転職なんて、もしかすると全く望んでいないのではないだろうか。少し不安になってきた。

頭を抱えるぼくに、五十嵐さんは語気を強めた。

「とにかく、人が喜ばなければビジネスは成立しない」

まさしくビジネスの原点だ。

「五十嵐さんは、それができたんですよね？」

「そう。オレは喜んでもらう仕事をした。そう胸を張って言える」

家具・インテリアの大手であるニトリの創業者で会長の似鳥昭雄さんも同じようなことをテレビで言っていた。「誰かに喜んでもらう、そうすると、もうけるんじゃなく、もうかるんだ」と。

五十嵐さんのやり方もまさしくこれだろう。ぼくもそんな仕事をしたい。

ただ、どうやって喜んでもらう仕事ができたのか。イメージが湧かない。もう少し聞きたい。

「五十嵐さんはクラウドの仕事をされたとのことですが、具体的にどうやって顧客の心をつかんだのですか?」

「捨てる、という話に関連するが、オレは他のことはやらずにクラウドに専念した」

「専念することで、クオリティーを高めたということですね」

「そうだ。クラウドが普及してきたとはいえ、クラウドの細かいところまでノウハウを持っている人間は少ない。特にオンプレミスのシステムとクラウドのシステムの連携が難しい。例えばクラウドとオンプレミスのシステムで認証連携して、シングルサインオンでまるで1つのシステムのように使えるようにするのは簡単じゃない」

「そうですよね……」

「だから、クラウドのプロとして、そのニーズに応えようと決めたんだ。認証連携などの複雑な点に関しても、即答できるだけのQ＆A集、手順書、解説動画、そして手伝ってくれる仲間、クラウド上の仮想基盤上に立てたシステム環境、ありとあらゆるものを準備した」

さすが五十嵐さん。しかも、手順書1つをとっても、品質が高そうだ。

「そして、顧客との打ち合わせでは、すぐにその場で顧客とオレの環境とを連携させて、うまくいくところを見せる。どんな要求も即答できるようにする。もしできない場合は、すぐにフリーランスの仲間にチャットアプリのスラック（Ｓｌａｃｋ）で——後藤も使っているな」

「あ、はい」

「そのスラックで連絡する。そして、質問には調べてもらい、その場で聞いた顧客が要望を実現するシステムを、クラウド上で作ってもらう。打ち合わせが終わる頃にはでき上がっているってわけだ。スピードは速いし、品質も高い、しかも料金は格安。顧客はもちろん喜んでくれた」

なるほど。需要の三要素と言われる品質、価格、納期のすべての面で完璧だ。顧客が喜ぶこと間違いなしだ。それに、格安料金といっても、五十嵐さんには結構な金が入ったはずだ。そりゃ、やりがいもある。

「仕事はしんどかったが、生きていくには本気でやるしかない。だから、とことん考え抜いた。創意工夫をしながら、『よりよい方法』を見つける。その努力が実って顧客に喜んでもらえたときは、何とも言えない達成感だ」

ぼくは思わず、拍手したい気分になった。

「五十嵐さんは、好きなことをやって、喜んでもらって、おまけにお金をもうけたわけですね。理想的じゃないですか！」

「理想的に見えるか？　ただ、突き詰めると、仕事ってつまりはそういうことなんだ。好きなこと、やりたいことをやる、だから真剣に取り組む。すると、顧客が喜ぶ。その結果、もうかる。お金を稼ぐのは簡単ではないが、仕組みは意外に単純なんだ」

「五十嵐さん、もしかして年収、すごく高いんじゃないですか……」

「それが、違うんだよ。中小企業の仕事が多かったから単価が安いんだ。一方の大手企業は、オレの個人経営のような会社とは契約しない。会社としての信頼がないからな」

五十嵐さんは自分の年収の話になると、たくさんもらっていないアピールをする。どうも怪しい。

「本当ですか？」

「本当さ。大企業は契約するときに、法務とかの社内審査がある。例えば、仮にオレがどれだけ優秀だったとしても、オレが病気で倒れたら困るわけよ。会社のシステムが止まってしまうからさ。一方の大企業に発注すれば、組織で対応してくれる。だから大企業は、ある程度の規模で信頼できる会社としか契約しないんだ」

「なるほど……」

これ以上追及しても、本当の年収のことは語ってくれないだろう。ぼくは聞き役に徹した。

「結局、オレが描いていた通りに、バンバン受注して、とはいかなかった。それでも、仕事が1つ決まれば、まとまったお金が入ってくる。独立して収入が増えたことは事実だ」

ほら、やっぱり増えているじゃん。独立して好きなことをやり、収入を増やした五十嵐さんがうらやましかった。

鉄則29 好きなことよりも得意なこと

そんな時、春村さんが帰ってきた。

「すみません、遅くなりました」

「いえいえ。お気になさらず」

五十嵐さんは若干丁寧に言う。なぜ？　と思ったが、追及はしないでおいた。ただ、五十嵐さんは、春村さんの何かを知っている気がする。

「せっかくだからプリンを食べませんか」

春村さんは晴れ晴れとした表情で、ビニールに入ったプリンを見せた。

「それ、どこで？」

「コンビニで買ってきました。私、実は外に出られるんです。保守をやっていると、社員しか持っていない入退室用のＩＣカードも予備で持っています。あくまでも私のではなく、社員さんが忘れたとき用のものですが」

それってセキュリティー的にどうなのか、とツッコミを入れたくなった。

五十嵐さんもそう思ったはずだが、笑顔で「ありがとう、もらうね」と受け流した。

それならば、と、おなかが空いていたぼくもプリンを受け取った。

「春村さん、いただきます」

ぼくと五十嵐さんは、もらったプリンを、小さなデザートスプーンでちまちま食べていく。暖房でやや温まり過ぎた体だったが、プリンによって内側から体温が下がる。頭も少しスッキリする。

「ということは五十嵐さん。さっきの話をまとめると、スタートラインは、『好きなことをする』、ですね！」

「そうだ」

「たしか、ホリエモンこと堀江貴文さんもそんなようなこと言っていました」

「そう、ミュージシャンのボブ・ディランも言っていた。『朝起きて夜寝るまでの間に、自分が本当にしたいことをしていれば、その人は成功者だ』って。つまり、好きなことをしている人は、成功者なんだ」

「好きなことが仕事にできたら最高です」

ぼくの本心だった。いや、だいたいの人にとっての本心だろう。嫌いなことというか、好きでもない仕事を「お金のため」と割り切って毎日を過ごしている人も多いはずだ。そんな中、好きなことを仕事にできている人はどれだけいるだろうか。

「コンビニで買ってきました。私、実は外に出られるんです。保守をやっていると、社員しか持っていない入退室用のICカードも予備で持っています」と春村さんはけろっと話した

「ただ、『好きなこと』という表現を誤解してはいけない。注意が必要だ」

五十嵐さんはスプーンをくるりと回してオレを指さす。

「実際には好きなことよりも、得意なことをやり、その得意なことを好きになるのが一番収益につながる。例えばオレは酒を飲むのが好きだし、ダラダラとテレビを見るのも好きだ。しかし、それをいくらやっても金は稼げない」

「まあ、そうですよね」

「春村さんも野球を見るのが大好きだからって、それで稼ぐのは簡単じゃない。野球に携わる仕事はできるかもしれないが、春村さんが得意なことを発揮できるかはわからない。だから、金を稼げるかも微妙だ」

春村さんは「その通りです」と渋い顔をしながらも笑った。

「後藤もこの業界にいるわけだから……、いいか、得意なことを1つに絞るんだ」

「1つ、ですか」

「そう。秋元康さんは著書で、コーヒー屋をやるなら看板にあえて『紅茶はありません』と書くと言っていた」

紅茶を捨てて、コーヒーに専念するってことか。五十嵐さんの話が、さっきの「捨てる」という話や、クラウドに特化したという話とつながっているとわかった。

「そして、その1つを、とことんやってみろ。とことんだ。ときに、それを何らかの形で発信するのもいい。今はネットの時代だ。本当に中身がよければ、ネットで発信したら人が集まる。いっぱいコメントをくれる。質問が来たり、間違いを指摘してくれたり、新しい情報を提供してくれたりすることもある」

「見てくれる人がいて、反応までもらえると、モチベーションが上がります」

「後藤が望む承認欲求も満たされる。そうすると、さらにいい発信をしようという気になる。PDCAが勝手に回って、知識がどんどん蓄積されていく。そうなれば、後藤しか持ち得ない情報を持つことになる。そうやって積み重ねていくと、すぐではないが、メディアから『記事を書きませんか』『本を書きませんか』とか、『講演しませんか』といった依頼が来る」

なんてかっこいいんだ！　と思わずぼくは目を見開く。きっと、五十嵐さんがクラウド分野でトップに君臨するに至った方法は、まさにこれだったのだろう。

「えー、かっこいいですね」

春村さんも目を輝かせる。ぼくだって、女性からこんなふうに言われたい。

あれ、もしかして、自分が求めているのは「チヤホヤされたい」というちっぽけなこと？

冷静に考えると、自分が求めていた成功って、こんなちっぽけなことだったんだ。そう思うと、笑いがこみあげてきた。

いや、ぼくだけじゃない。きっとほとんどの人が、周りから認められたいと思っている。

せっかくなら、チヤホヤされたいついでに、五十嵐さんの言う通りにやってみるのもありだ。得意な仕事に専念して、お金を稼いで、そして、みんなに喜んでもらって……、そんないいスパイラルを回そう、そう自分に言い聞かせた。

そう考えると、五十嵐さんの話が、さらに楽しくなった。

「いいか後藤、お前は技術もあるし、向上心もあって、素直な面がある。だから、得意なことに専念し、そしてやり方を間違えなければ、その道のプロフェッショナルにきっとなれる。そのとき、依頼があった仕事は、どれだけ忙しくても絶対受けろ。チャンスは何度もない。何があっても全部受けろ。実績を積んでいくと、さらに卓越した技術や知識、経験が得られ、その世界の専門家に近づく。そして、人に喜んでもらえる仕事ができるようになる。金を稼げるし、後藤も幸せになる」

「勉強になります！　好きなこと、得意なことですね」

「その通りだ。昔は、有名人とか、学生の時から『あいつはひと味違った』とか言われるような人物が大金を得た。最近はごくごく普通の人でも、動画を配信したり、セミナーをやったりして、もうけられる」

「なるほど……」

「インターネットのおかげで、専門家と素人の垣根がなくなり、誰でもがインターネットという大きな世界で勝負ができる」

「いい時代になりましたね」

「ただ、先にも言ったが、やり方はそれぞれ違えど、彼らは必ず顧客を喜ばせている。だから稼げるんだ」

鉄則30 大成功者は心から好きなことをしている

トラブル対応という最悪な状態でここにやってきた。だが、思いもよらぬ貴重な時間を過ごすことになった。ＳＥとして、また、人生の師として多くの知見を持った五十嵐さんの話を聞ける。そして、ＳＥとしての方向性を見失っていたぼくに、今後、どうすればいいかという指針を提供してくれている。ありがたいことだ。

「いいか後藤、繰り返しだが、得意なことをするのが、人生を無難に生きる方法だ。だが、圧倒的な勝者になろうと思ったら、得意というレベルではなく、心から好きな仕事をしなければいけない」

「ぼくの場合、ＩＴの仕事がまあまあ得意で、結構好きです。得意なことも好きなことも、似たように感じますが、違うのでしょうか」

「得意なものが嫌いになることは、あまりない。広島の黒田選手がどうだったかはわからないが、野球がすごくうまいけど、野球が大嫌いなんてあり得ないだろう。だから、得意であれば、好きというのは誰もが持つ感情だ」

「言われてみれば、その通りです」

実際、音痴なぼくはカラオケが嫌いで、人より上手な将棋は楽しい。人間誰しも、得意なことは好きなはずだ。

「大事なのは、心底好きかどうかだ。『得意な仕事』というレベルでは、寝る間を惜しんでとか、土日を全部つぶして仕事はできない。好きで、好きで、ご飯を食べるのを忘れるくらい好きな仕事に取り組めるかだ」

「でも、ほとんどの人は、そこまで好きなこと、夢中になることを見つけられないと思います」

「たしかにその通り。その通りなんだがな」

「そこまで好きなことがないぼくは、具体的には、何をすればいいんでしょう」

ぼくの素直な疑問だった。

「ＳＥというか、ＩＴの世界はいいぞ」

「ぼくたちの仕事、ですね」

五十嵐さんが、ちょっと誇らしげにうなずく。自分の仕事を、楽しんでいるのがよくわかった。

「まずは、何も考えずに、真剣にやってみな。真剣にやればやるほど、面白くてたまらなくなってくる。例えば、プログラムにはまる人が多いけど、新しいものを考える喜び、それができ上がる喜び、作ったものが動く楽しさ、自分が知らない新しい技術を身に付ける面白さ、そんな無限の可能性に魅了されるんだ」

「でも、社内にプログラムを書いている人はたくさんいますけど、そんなふうに面白くてたまらないと感じている人は、少ないと思いますよ」

「それは、仕事としてやらされてるからだ。しかも作りたくないシステムをだ。誰だってプログラムが嫌いになる」

「たしかに。それはあるかもしれません」

「それと、年齢を重ねるとともに、純粋なプログラマーから設計業務を任されるようになる。『設計』という響きはかっこいいが、打ち合わせやスケジュールなどの調整業務だけやって、部下や外部ベンダーに技術的なところを丸投げしている場合もある」

「ぼくも最近、そうなっています」

「それってもったいなくないか？」

「たしかに、調整能力の向上に反比例して、技術力が落ちている気がします」

「後藤は、調整業務を心底好きになれそうか？」

「いや、絶対にないです」

「それに、調整業務をいくら極めても、本当に稼げるエンジニアにはなれない」

そのことは自分でも気づいていた。開発職において、転職の際の募集要件にあるのは、各種の技術要素にどれだけ精通しているかだ。例えば、マイクロソフトだけでもＭ３６５、Ａｚｕｒｅ、Ｅｘｃｈａｎｇｅ　Ｏｎｌｉｎｅなど様々なソリューションがある。開発言語も、昔はＣとＪａｖａができれば通用したが、今ではそれぞれの用途に主流の言語が複数ある。ＪａｖａＳｃｒｉｐｔのＷｅｂプラットフォームに限ってもＲｅａｃｔ・ｊｓやＮｅｘｔ・ｊｓなどいろいろある。いい条件の転職先がないのは、結局、自分の持っている技術力の不十分さが原因でもある。本当に技術に精通していれば、いい条件の転職だっていくらでもあるはずだろう。

「五十嵐さんが言われる通り、エンジニアなんだから、技術力は必須ですよね」

「当たり前の話だ。もちろん、仕事では役割があるから、調整業務をほったらかして技術的な仕事に専念するわけにはいかない。部下や外部ベンダーに任せることも必要だ。だけど、もっと自分でやっていいはずだ。プログラムに限らず、サーバー、ネットワーク、データベースのエンジニアだろうが、本当に優秀なやつは、全部自分で実装できる。しかもその質が非常に高い。ベンダーに丸投げしても仕事は回るけど、好きだから自分でも手を動かすんだ」

まさしく新庄がそんな感じだ。任せるところは任せるが、コアなところは絶対に自分で手を動かす。今や社内で誰も追いつけない技術レベルにいる。だから、セキュリティーのコンテストも予選を勝ち上がり、アメリカの本選に参加できるんだ。

「五十嵐さん、ぼくもがんばってみたいです」

「いいと思うぞ。新たなチャレンジというのは、失敗したって失うものは何もない」

「少し恥をかくくらいですね」

「失敗した話って、飲み会のネタになる。大失敗なら武勇伝だ。それと、再挑戦者という輝きを持つことになる。いいことだらけだ」

五十嵐さんは考え方が常にプラス思考だ。だからチャレンジができるし、人間的な魅力も高い。

「それに、ＩＴ業界の場合、自分を高めて結果を出すことで、莫大な収入を得ている人もいるからな」

「夢がある世界ですね。わくわくします」

「業界の頂点に立っても、たいした収入が得られなかったら残念だ。けど、ＩＴ業界はそうじゃない。ＩＴ長者という言葉があり、実際、世界の長者番付にマイクロソフトのビル・ゲイツやアマゾンのジェフ・ベゾスなどのＩＴ業界の大物が軒並み名を連ねる。お金がすべてではないとはいえ、稼げる業界というのは非常に魅力的だ」

「はい」

そうなんだ。それほど深い理由で飛び込んだわけではないが、恵まれた業界で仕事ができる。ありがたいことだ。

「ＩＴ業界だけでなく、芝居や音楽、スポーツ、将棋といったあらゆる分野で、同じことが言える。頂点を極める人は、その道を心から愛していて、その情熱が彼らを大成功へと導く」

「ぼくの場合、ＩＴの仕事をそこまで好きになれるかわかりません。でも、きっと楽しいだろう。そう思ってやってみようと思います」

「そうそう。それでいい。好きとか嫌いとかは、湧き上がってくるものだ。無理して好きになろうとしなくてもいい。オレはやらされる仕事が大嫌いだった。その反動もあってか、自分がやろうと決めた仕事というのは楽しくてたまらなかった」

鉄則31 1歩でも1ミリでもいいから前に出て1番になれ

ぼくは、自分のやりたいこと、やるべきことが決まった気がした。

「五十嵐さん、ぼく、決めました」

「お？　どうした？」

「ぼくは今まで経験を積み重ねてきたＳＥで、もう少しがんばってみたいと思います」

「そうだ。それがいい。後藤は、もっと活躍できる」

五十嵐さんはキリッとした表情で、ぼくの言葉を後押ししてくれた。

「活躍できますかね？」

「ああ、できるさ。実際、成功者と普通の人の違いなんて、ほんのわずかしかない」

「本当ですか？」

「作家の江上剛さんが『ステージの上の若者たちが集うライブで、ステージの上のスターとそれを見上げる若者の違いは、一歩踏み出したかどうかだ』って言っている。成功する人間と、そうじゃない人間は、同じなんだ」

スターと一般人が同じ？　それは言い過ぎでは？

「オレも、人間の才能には大きな差はないと思っているタイプだ。大事なのは、やったかやらないか。プロ野球の世界でも、生き残っているのは一番練習した選手だって誰もが言う。もちろん、才能というのはある。だが、オレたちがＩＴ業界で戦っているレベルなんて、所詮は地区大会レベルだ。プロ野球選手の次元で話をしているわけではない。オレや後藤のレベルであれば、努力すればするだけ、もっともっと輝ける」

「なんか、元気が出てくる話ですね」

「繰り返しだが、マイクロソフトのビル・ゲイツやグーグルのラリー・ペイジ、テスラのイーロン・マスクに勝とうとしているわけではない。だから、オレたちみたいな凡人でも、ちょっと努力するだけでも違う世界に立つことができる。ただ、単にガムシャラにやればいいってもんじゃない。世の中そんなには甘くない。頭を使って考える必要がある」

「具体的にどうしたらいいのでしょう」

「まず、努力の方向性を間違えないようにな。考え方として、『ほんの1歩であっても、人より前に出る』ことだ。たとえそれが、1ミリでもな。1ミリであっても、1番になる。2番じゃ駄目だ」

「昔、国会議員がそのことに疑問を呈していましたね」

「2番じゃ駄目かって話ね。たしかに、2番でもすごいことだ。だが、やはり1番は価値がある。例えば、『このラーメン屋は日本で2番目においしい店です』と言われたらどう思う?」

「すごくおいしいんだろうなと思います。同時に、『1番はどこ?』って気にもなります」

「そう。やっぱり、1番には価値がある」

「でも、1番ってなかなかなれません」

「だからまず、勝てる場所を探せ。ベンチャー企業はいきなり大手企業にケンカを仕掛けない。ニッチな市場を狙い、そこでリーダーとして立つ。そして、市場を広げていく。企業でも個人でも同じ、ライバルが多いところで勝負してはいけない」

うーん、とぼくは首をひねる。その通りだと思うけれど、ぼくには、どこが勝てる場所かわからなかった。

「個人的には、最先端の技術であるＡＩの分野で1番になりたいです。というか、なれたらかっこいいですが、どう考えても無理です」

「そんなことはないと思うぞ。別に、後藤が自らＡＩを開発できる必要はない。これまでも技術革新によってすごいＣＰＵやＯＳやミドルウエアが登場した。だけど、オレたちＳＥは、それらを自ら作れなくても活躍できた。それらの製品を生かし、いろいろなものを組み合わせたり、付加価値をつけたりして顧客が求めるものを提供すればいいんだ。ＡＩも同じ。ＡＩをうまく活用することが、オレたちエンジニアに求められていることだ。もちろん技術力を駆使してな」

「なるほど」

「もし、どこが勝てる場所かがわからなければ、まず、目の前の仕事を全力でがんばれ。いいか、全力だぞ。そして、目の前の仕事に関しては、１番になるようにするんだ」

「他の先輩からも言われた言葉ですが、今聞くと、すごく納得します」

「例えば、後藤が日本でナンバーワンのＳＥになることは簡単ではない。だが、ある技術であったり、業種に特化したりして、ナンバーワンを目指すなら不可能ではない。日本でナンバーワンでなくていい。まずは社内でナンバーワンになるんだ」

「なるほど！　技術を限定したり、社内で、という条件であれば、ナンバーワンになれたりする分野はありそうです」

「そうだ。後藤ならできる。自分がいる業界で、目の前の仕事に専念し、担当した分野で１つずつナンバーワンになっていくようにするんだ。気が付くと、お前の名前は社内で有名になっているさ」

「まずはなにかの分野に特化して、社内でナンバーワンを目指します」

「そうだ。そのやり方であれば、後藤のやりたいＡＩにフォーカスしてもいいかもしれない。ＡＩは会社ではほとんど誰も取り組んでいない。まずは、日ごろからＡＩに関する技術を磨くんだ。そして、仕事の中でＡＩを活用することを真剣にやってみろ。そう簡単にＡＩを取り入れることはできないかもしれない。だけど、うまく実績を積むことができれば、社内で重宝される存在になれるかもしれない」

　ぼくは方向性が見えてきた気がして、心が浮き立っていた。


　窓の外がだんだんと明るくなってきた。朝が近いのだ。

「注意点がある。それは、後藤がやったこともない業界に着目しても、絶対に成功しない。その業界のことをわかっていないからだ。その業界で本気で仕事をしないと見えてこないことがある。例えば似たようなＳＮＳに見えても、『フェイスブック』と『ツイッター』と『ティックトック』は違うだろ。似たようなサービスだけど、ちょっとずつ違う」

「はい」

「でも、それぞれ成功している。それは、本気でその業界にいて、ちょっとした違いを見つける努力をしたからだ。全く知らない業界の人間が、そのちょっとした違いを見つけられるわけがない。仮に見つけたとしても実現する技術や人脈などもない」

五十嵐さんは、ぼくがＡＩに興味があることを知っている。だから、さっきはぼくがＡＩで活躍するための話もしてくれた。ただ、今のぼくの場合、ＡＩの世界に踏み込むべきではない。そう警告してくれていることがわかった。

ぼくはどの分野で1番を目指すべきか。具体的にはまだわからない。だけど、漠然と何かを考えるよりも、目の前の仕事をトコトンやる。そして、そこで出る顧客の悩みや困りごと、こんなサービスがあったらいいなってニーズを見つけて、それを技術や自分の活躍の場につなげる。それが大事なんだ。

やっと答えが見つかった気がする。

「五十嵐さん、ぼく、なにか見えてきた気がします。がんばりたいです！」

「オレは、落合信彦さんの『たいした命じゃないんだ。燃え尽きるまでやれ』って言葉が好きだ。本当にたいした命ではないし、もちろんたいした人生でもない。それはオレもお前も同じ。まぁ、がんばってみようや」

鉄則32 副業で経験を積むなら、「空いている席」を狙え

ぼくなんか、出世ができないことなどに腹を立てたり、他人を気にしたりしていた。所詮はちっぽけな人間。失敗したって恥ずかしいことではない。失うものも何もない。

一度くらい、燃え尽きるまでやってみたい。

「そういえば、後藤の会社、副業もＯＫなんだろ？　服部課長はプロ級のゴルフの腕前を生かして、土日にゴルフのインストラクターをやっているらしいじゃないか。人生をエンジョイするタイプの副業だな」

「たしかに、ＩＴ技術者にとっては、副業はチャンスだって聞いたことがあります」

「オレたちエンジニアは手に職がある。また、ニーズもあるから副業との相性はいい。実際、給料以上を副業で稼ぐやつもいる」

「給料以上ってことは、年収が倍以上になりますね。それはすごいです」

「人生は何かと勉強だ。後藤の経験を深める仕事なら、副業をのぞいてみてもいい。ただし、後藤の場合はのぞくだけな」

「どっぷり入り込まないってことですか」

「そうだ。副業をやる目的を間違えなければ、一度くらいはやってもいいと思う。副業の目的は小

遣い稼ぎと思われているが、副業だって立派な仕事。納期や品質に対して責任がある。会社ではできない仕事の経験を積む場として価値がある」

「なるほど……」

「例えば、オレはこの前、雑誌にクラウドのセキュリティーに関する記事を書いた。記事を書きながら、知識を体系的に再整理することができた。オレの本来の仕事ではないから副業みたいなもんだが、貴重な経験をさせてもらった」

「そんなライターの副業があるんですか。一体、どこで募集しているんですか？」

「公には募集してない。さっき、ネットで発信しろって言ったろ。自分のサイト、といってもブログなどのＳＮＳでいい。本当に中身がよければ、そこからいろいろなオファーが届く」

「なるほど。家に帰ったら、早速サイトを立ち上げてみます」

「そうだ。思い立ったが吉日。失敗してもいいから1歩を踏み出そう」

「たしか、副業に関して、依頼者とエンジニアを結びつけるサイトがあると聞きました。あれはどうですか？」

「活用するのはいいと思う。ただ、ライバルが多い。例えば、プログラムを書くというコーディングの仕事に関しても、数百人単位で登録者がいる。そこでも仕事をもらおうとすると、マーケティングが必要だ。先ほど『1歩前に』と言ったように、自分を売り込んでライバルより秀でる工夫も要る。それでも最初は格安の仕事から受けていかないと厳しいだろう」

「どの世界も競争なんですね……」

「そうなんだ。厳しい世界なんだ。副業をお勧めするもう1つの理由として、自分の力量を再認識できるということがある」

どういうことだろう。ぼくは五十嵐さんの話を、身を乗り出して聞いた。

「例えば、プログラムの仕事を個別に受ける仕事だって、サラリーマンからしたら副業だが、独立したフリーランスからしたら本業だ。会社の力を使わず、自分の力だけで稼いでみると、いかに会社の給料が高いかがわかる。そしたら、会社で働かせてもらっていることのありがたみがわかる」

「なるほど……」

「だから、副業を絶対にやれとは薦めない。自分の実力やお金を稼ぐ難しさを認識したり、会社ではできないことを経験したりするために、やってみてもいい、という感じだ」

「はい」

「副業を体験するだけであれば、空席理論という考え方も知っておくといい」

「空席理論……?」

初めて聞く言葉だ。

一体、五十嵐さんはどれだけの量の本を読んでいるのだろう。ぼくもビジネス書を手に取ることは多いけれど、きっと、その比にならないくらいの量なんだろう。

「ライバルがいるところで勝負しないということだ。業界を絞るとか、ニッチな市場を攻めるというのとも、若干似ているが違う考え方だ。空席理論はある意味もっと進んだ発想だ。空いている席を探すんだ。だから、能力がないやつでも誰でも座れる」

「例えばどんな仕事ですか？」

「プログラムでいうと、ほとんどの人はプログラムを作成することを請け負う。そこはライバルだらけだ。そこで、誰もやっていない仕事を探す。例えば、プログラムの仕様書を書きますとか、設計書を作りますとか、補助金申請を承ります、そんな仕事だ」

「たしかに、誰もやっていない可能性がありますね」

「プログラム言語も、マニアックな言語の場合、空席の可能性がある。ＩＴ資格試験の対策だって、ＩＴ業界には数百、もしくは千くらいの資格がある。誰もやっていない資格があるはずだ」

「なるほど、ちょっとやってみるには面白そうですね。でも、大もうけはできませんね」

「ああ、そうだ。だから副業にちょうどいい」

「なるほど」

まさに小遣い稼ぎの「副業」という言葉がフィットする。

「空いた席だからライバルはいない。だけど、ライバルがいないからと言って、顧客からお金をもらうことは簡単じゃない。本当に喜んでもらえるサービスを提供しないと、お金は払ってもらえない」

やはり真剣に仕事をする必要があるんだ。副業を小遣い稼ぎに感じていたが、中途半端にやるくらいなら、やらないほうがいい気がした。

ただ、ぼくがこれから何か1つを極めていくとして、最初から大きなことはできない。経験を積むためにも、ライバルがいないところで戦うという空席理論は大事な考え方のような気がする。五十嵐さんは、それを伝えてくれたのだろう。

第7章　SEの仕事に未来はありますか？

鉄則33 資格は自信を生む、勉強がSEの未来をつくる

「ぼくの場合、もっともっと勉強が必要ですね」

どの分野でナンバーワンを目指すにしろ、今のぼくの知識や技術はまだまだ不十分だ。

「IT業界は成長スピードが速い。常に勉強していないとエンジニアとしての価値がなくなる。ドッグイヤーとかマウスイヤーなんて言葉くらいは聞いたことがあるだろ」

ドッグイヤーとは、犬の1年は人間の7年分で、それくらい速いという意味だ。マウスはおそらくもっと速いのだろう……。

「IT業界の進化は本当に速いと思います。特にAIの進化には驚きました」

「そう。だから勉強して当たり前。エンジニアは一生勉強しないといけない。オレの場合、もっと成長したいというモチベーションもあった。だがそれ以上に、取り残されないようにするには、必死に勉強せざるを得なかった」

「ぼくも、実は勉強は大好きです」

「いい心がけだ」

「勉強そのものは、楽ではありません。仕事に疲れたあとやゆっくりしたい休日に、貴重な時間を割いて勉強するからです。でも、勉強して知識や技術を身に付けると、仕事に生かされるんです。

仕事が速くできたり、今までできなかったことができたりすると、とても楽しいんです」

「まさしく後藤の言う通りだ」

「たまにはいいこと言うでしょ」

五十嵐さんはフフッと笑い、若い頃の話をしてくれた。

「オレも若い頃は仕事ができなくて、自分自身が嫌になってさ」

「え、そうなんですか？」

「ああ。若い頃って、仕事ができないから、しんどいことのほうが圧倒的に多かった。仕事を任されてもトラブルや失敗ばかり。逃げ出したかった」

「そうなんですね……」

五十嵐さんでも、逃げ出したいときがあるなんて。

「でも、圧倒的な技術力がある先輩って、忙しそうにしているけど、ちょろちょろと適当にしてもうまくいくだろう」

「たしかにそう思います」

「いくつものプロジェクトを掛け持ちして、トラブルがあったら救世主のように現れ、あっという間に解決して次の現場に向かう。まさしくスーパースターだ」

五十嵐さんがそう思う先輩だから、きっとすごい人だったんだろう。

「ぼくもそんなエンジニアになりたいです」

「本当にかっこよかった。笑顔を絶やさず、余裕の表情を浮かべて仕事をしていた。オレも、技術を磨けば、こうなれるはずだ。能力がない自分や、追い詰められた毎日から卒業できる、そう思って技術力を高めようと勉強をした。あんな先輩になりたいと思ったからこそ、必死にがんばった」

ぼくも五十嵐さんと同じ、いやそれ以上に濃い時間を過ごして、五十嵐さんみたいになりたい。

五十嵐さんは、「そういえば」と言って、アメリカで勉強した後輩の話をしてくれた。

「後輩が会社をやめて、アメリカの有名な大学で勉強してIT系の修士号を取った。そいつの話だと、今やアメリカのIT系大学では学生の半分が中国系だそうだ。ちなみに4分の1はインド系」

「アジアからわざわざアメリカに行くのは、やはりアメリカンドリームですか？」

「まさしくそうだ。ただ、そのドリームをつかむためには莫大な勉強が必要だ。入試ももちろん難しいが、アメリカの大学では、日本と違って徹底的に勉強させられる。鬼のように毎日課題が出され、しかもそれがめちゃくちゃ難しい。プログラムの勉強なんて、教えてくれることはなく、『作れ』ばかりだそうだ。例えば、『キャッシュメモリーを作れ』って」

「ええっ。キャッシュメモリーなんて、パソコンには必ず実装されているような汎用技術です。それを今更作れなんて言うんですか」

「コンピューターの成り立ちをイチから体感しろということだろう。でもその大学を卒業すると初任給は平均1７００万円らしい。新卒の初任給だぞ」

「日本ではあり得ないです」

「中国は、超優秀なエリートであっても、労働環境は九九六と言われる。朝9時から夜9時まで週6日働く。しかも、年収はたった３００万円くらいしかない」

「それだけですか？　時給で計算するとエリートとは思えません。長時間労働で、どう見てもブラックです」

　ぼくがエリートなら、絶対にそんな環境では働きたくない。

「一方、アメリカのグーグルやアップルなどのいわゆる『ビッグテック』クラスの大企業は給料が格段に高い。それに、能力さえあれば働き方は任せられていて、時間に縛られることが少ない。そんな夢の世界が待っている。だからみんな勉強をがんばるんだ」

「勉強をして技術を身に付けることが、夢の階段なんですね。たしかに、技術があれば、見える景色が違ってくる気がします」

「後藤が言うように、オレが若い頃も勉強は楽しかった。技術や知識を身に付けているということ自体が楽しかった。わからないことがわかる、そしてそれが仕事に生かせる。誰から指示されるわけでもなく、ただ、自分のために勉強する。非常に有意義な時間だった」

「五十嵐さんの保有資格数、社内でずっとナンバーワンだったって聞きました」

「なんでそんなことを知っているんだ」

「服部課長が、メッセージで送ってくれました。五十嵐さんにいろいろ相談しろって」

「服部課長、結構マメな人間だろ。後藤のことも気にかけている。オレにも連絡があった。後藤が悩んでいるみたいだから、話を聞いてやってくれって」

「服部課長が、そんなことを？」

驚いた、あの服部課長が……。もしかして、今日のトラブル対応に五十嵐さんを呼んだのは、ぼくが退職願を出そうとしているのに感づいたから？　机の引き出しに退職願を入れておいたから、見られた可能性はある。

五十嵐さんに真相を尋ねてみるか。

いや、きっとごまかされるだろう。

ぼくがそんなことを考えている間も、五十嵐さんは資格に関する話を熱心にし続けていた。

「資格はいいぞ。特に国家資格は合格基準が明確だから、基準点を満たせば合格。年齢はもちろん関係ない。上司にゴマすりをしなくたって、昇進枠が空いてなくてもいい。後藤にもってこいだ」

「なるほど……」

若干、ぼくへの悪口のようにも感じた。五十嵐さん、こういうこと言わなければ最高なんだけどな。でも、五十嵐さんが言う通り、資格というのは、不器用なぼくに向いているかもしれない。

「努力して、その基準さえクリアすれば、国が褒めてくれる。『合格です』と。しかも、自宅に大臣の名前が入った合格証まで送り届けてくれる」

「ぼくも応用情報技術者試験に合格しましたけど、たしかに、快感でした。そして、大きな自信を得ることができました！」

「合格したときの達成感は最高だろ。それに、合格すればネットワークスペシャリスト、ＩＴストラテジスト、なんて称号までもらえるんだ。楽しいったらありゃしないさ」

そういう五十嵐さんの顔は、たしかに楽しそうだった。

ぼくもそんな顔がしたい。心から、そう思った。

鉄則34 1人では大きな仕事ができない

「それと、もう1つ大事なことがある」

五十嵐さんの話が、佳境に近づいているような気がした。ぼくは、「はい」と背筋を伸ばした。

「1人でできることには限界がある。システムを構築しようとすると、雑務として打ち合わせだったり、物理的なキッティングであったり、立ち会い作業であったり、保守対応など、様々な仕事が求められる」

「そうですね……」

「どれだけ能力が高くても、1人では無理だ。だから独立してフリーで稼ごうとするとシステム構築ではなく、コンサル契約の仕事が増える。資料を作ってしゃべればいいだけだからだ。ただ、仮に、オレがコンサルをしていて、1日に10万円稼げたとしよう。1年は365日しかない。土日や正月は顧客も休みだろうから、どうがんばっても年収の最大値は2500万円程度になる」

「たしかにそうですね」

そう言いながらも、それって十分すごい年収だと思った。

「だけど、1人でやるのはこれが限界。実際、毎日10万円をもらえる仕事を見つけるのは難しいし、お金を稼がない経理やら雑務対応もある。営業や、アフターフォローだって必要だ。だから、実質はその半分だな。あとは単価を2倍の1日20万円にできるかだけど、そんな条件がいい仕事が1年中もらえるほど世の中は甘くない。だから、収益を増やしていくには、仲間が要る」

「だから、会社にはたくさん社員がいるんですね」

「そう。それに、仲間がいないと大きな仕事ができない」

その言葉に、改めてハッとした。ぼくがやってきたプロジェクトだって、多くのメンバーがいたから成り立っていたんだ。

「仮にオレにいくら能力があったとしても、社員1人の会社が、大企業の何億円ものシステムに入札することはできない。人間1人の能力なんて、たかが知れている。いろいろな得意分野を持ったメンバーが集まるから、組織としての能力が結集し、大きな仕事もできる。だから、仲間は大事なんだ」

「そうですね……」

「それと」

「なんですか？　五十嵐さん」

「仲間がいると楽しい！」

五十嵐さんはとっても無邪気な表情を浮かべた。

「ぼくもそう思います。同じ仕事でも、いいメンバーに恵まれると、とても楽しいです。高校の文化祭をやっているような楽しさを感じます。そして、プロジェクトが成功したあとに、ワイワイ飲む打ち上げも最高です」

「仲間が誰かというのは、とても大事だ。『どこで働くか』、『どんな仕事をするか』より『誰と仕事をするか』で会社を選ぶ人もいる。実際、グーグルなどの人気企業の場合、高収入や待遇が魅力だけでなく、優秀な人材とともに働けることに魅力を感じる人も多い」

「……わかってきました」

ぼくは、まっすぐに五十嵐さんを見つめた。

この結論にたどり着くまで、本当に長かったけど。

「ぼくは転職せず、今の素晴らしい仲間と、やりがいのある仕事を続けろ、そういうことですね」

「そう聞こえたか」

「はい。それと」

「それと？」

「ぼくが今転職したり、独立したりしても、成功しないいって暗に言ってもらえました」

そして、ぼくは頭を下げる。「ありがとうございます」

「そんなつもりはなかったんだけどな」

五十嵐さんは、とぼけた顔で笑った。

「ぼく、もっと技術力を身に付けます」

「おお。いいじゃないか」

「そのあとに、転職や独立をしてみたいと思いました。でもそのために、今はとりあえず、上司への不満は見えないゴミ箱に捨てるようにします」

「いい発想だ！」

「はい。明日からも、がんばります！」

プリンのカップもすっかり空になった。ぼくは立ち上がって、野球のピッチングのように、空のカップをゴミ箱に投げた。

「ストライーク！」

空のカップがゴミ箱に入るのを見て、春村さんが最高の笑顔で右手を真上に挙げた。

そのまま勝利インタビューをしたい気分だ。

晴れ晴れとした気分で、窓の外を見た。

「うわっ。まぶしい！」

ぼくが声を上げると、五十嵐さんも春村さんも、窓の外を見つめる。

そこには、朝日が昇っていた。

「もう、朝かあ」

「長い一晩でしたね」

「そうでしたか？　私は短く感じられました」

口々に言って、ぼくらはゴミを片付ける。まるで、お菓子を食べて、人生観を変えるためにあったような一晩だった。ぼくは死ぬ前の日も、今日のことを思い出すかもしれない、なんて感傷的なことを考える。

すでに6時。顧客が来るまで、あとわずかだった。

鉄則35 楽をする工夫をたたえよ

「よーし、直すか」

五十嵐さんは立ち上がり、両手を上に挙げて伸びをした。

ぼくはハンカチでテーブルを拭き、五十嵐さん、春村さんとともにサーバー室に戻った。

五十嵐さんは早速、パソコンに向かってコマンドを打ち始める。

「とはいっても実はもうすでに直し終わっているんだ」

「どういうことですかっ？」

思わず、声を張り上げてしまう。

ぼくらはただしゃべっていただけじゃないのか？　いつの間に直したんだ？

この人、なんなんだ。

「春村さん、アプリケーション試験できる？」

「はい、試験用のデータもあるのですぐやります」

春村さんは五十嵐さんの指示に従い、慣れた手つきでパソコンを操作して試験をした。それと、自分のスマホを取りだし、スマホからもテストをした。

「それと、負荷試験もできる？」

「それはぼくにやらせてください。簡易なものですが、ツールがあるので、やってみます」

しばらくして、春村さんが、テストは一通り完了したと伝えた。

「大丈夫です、うまく動いています」

「五十嵐さん、ぼくの方も負荷試験の準備が整いました。いつでもオーケーです」

「じゃあ、後藤がサーバーに負荷をかけた状態で、春村さんがもう一度アプリケーション試験をしよう」

五十嵐さんのゴーサインで、ぼくはツールでサーバーに負荷をかける。そして、五十嵐さんとぼくは、春村さんの後ろに立ち、アプリケーション試験の様子を確認した。パワハラ通報リンクがあるメッセージも出ていない。ひとまず直った様子だ。本当によかった。

ただ、気になるのは、今回のトラブルの原因だ。

「五十嵐さん。結局、原因はサイバー攻撃だったんですよね？」

「そんなようなものだ。システムが止まるという問題と、変なメッセージが出るという問題があって、それぞれ別々の原因だった。まあ、あとで説明するわ」

「でも、無事にトラブル解決ですよね？」

「いや、単なる暫定処置だよ。今回のトラブルの真の原因はストレージのハード的な故障だ。それも症状が出たり出なかったりする厄介なやつ。ハードの故障だから根本解決はメーカーしかできない。どうやら、負荷が少ないときは正常に動作するけど、負荷が上がると挙動がおかしくなるみたいだ」

「なるほど」

「ストレージの方は、原因がよくわからないから、オレたちは手が出せない。保守契約によるとストレージメーカーの保守対応は9時から17時。だから朝9時になったら速攻で連絡して、対応してもらう」

「じゃあ、どうして負荷試験をしても正常に動くのですか？」

「ストレージは調子が悪いから、負荷をかけるアプリケーションをクラウドに移行した。そして、このサーバー室のオンプレミスなサーバーと連携させた。移管したのはアプリケーションだけで、機密情報を含むデータはクラウドに置いていない。だから、セキュリティー面の問題はない。当面の業務はこれで十分しのげるはずだ」

「すごい。そんな短時間でできるものなんですね」

五十嵐さんの仕事のスピードにあぜんとした。

「言ったろ、オレにはフリーランスの仲間がいるって。スマホからスラックでメッセージを送って、クラウドにシステムを移行するところなどを彼らにやってもらった。機密情報が含まれる部分は注意が必要だから、そこはオレがやったけど、あとは任せたさ」

「いつの間に……」

「だから、仲間が大事ってことさ。今回の場合、夜中だから、さっき言ったアメリカの大学で修士号を取った後輩が活躍してくれた。彼はシリコンバレーで自由なスタイルで働いていて、この時間はまだ昼間だ」

「すごいですね……」

「後藤と休憩室で話をしながらも、たまにスラックで進捗を確認したり、質問に答えたり指示を出していた。そして、システム移行が無事に終わったのはわかってたんだ」

「すごい、すごいですけど、ちょっとセコくないですか？」

「なにがだ」

「だって、自分で解決せずに手伝ってもらったのですよね」

五十嵐さんはキョトンとした顔をした。「セコい」というぼくの表現が気に入らなかったのか。

「成長したお前に、オレからの最後のアドバイスだ！」

五十嵐さんは頭をかきながら、大きなカバンの中から、手帳を出した。手帳をパラパラとめくり、

「ほら、見てみろ」と言って、メモを見せてくれた。

「松下幸之助さんの言葉ですか？」

「そうだ。オレの座右の銘だ。読んでみろ」

『額に汗することをたたえるのもいいが、額に汗のない涼しい姿もたたえるべきであろう。怠けろと言うのではない。楽をする工夫をしろというのである。楽々働いて、なお素晴らしい成果があげられる働き方を、お互いにもっと工夫したいというのである。そこから社会の繁栄も生まれてくるであろう』

なるほど、たしかにそうだ。手帳を見ると、他にも名言がいくつも書かれてある。五十嵐さんは本もいろいろ読んでいるんだ。ぼくはというと、ＩＴの技術を磨こうと、ＩＴの専門書ばっかり読んでいた。様々な本をたくさん読むことは、知識だけではなく視野が広がる効果がある。五十嵐さんの考え方の礎は、経験だけでなく、本の多読にあったかもしれない。

「親からは、真面目に働くことが日本人の美徳だって教わりました。だから、楽をするのはよくないというマインドがあったと思います。ですが、松下幸之助さんのような偉大な経営者に、楽をする工夫をしてもいいと言ってもらえると、気が楽です」

「そうだな。後藤は真面目過ぎる面があるから、もっと気楽にな」

「聞いた話ですが、B型は、誰かがやってくれると信じているらしいんです。だけど、ぼくはA型の性格で、なんでも自分でやらなければいけない、そう思っていました」

「だ・か・ら、オレは血液型なんて信用しない」

「あ、そうでしたね。はい、血液型という固定観念も忘れるようにします」

「ただ、血液型に関係なく、どんな人でも、頼る力は大事だ。困ったら助けてもらうというのは、逃げているように思うかもしれない。でも、違うんだ」

「頼るべき、だと」

「そう。そして、苦しかったら逃げてもいい。追い詰められてつぶれてしまったら、その本人だけでなく、みんなが不幸になる。プロジェクトも成功しない。人に頭を下げるのはしゃくだとか、相手に申し訳ないとか、いろいろな理由で頼れない人がいる。そんな小さなプライドや固定観念にとらわれず、『仕事がうまくいくこと』、それだけを考えろ。そうしたら、頼るということは重要な選択肢になってくる」

当初は、五十嵐さんの考え方をあまりよく思わなかった。だけど、話を聞けば聞くほど好きになった。

「いいか、後藤。人間関係ができてこそ頼ることができる。でも、初めて会う人であっても頼ることは可能だ」

「本当ですか？」

「ただし、夢や情熱を持っていることが条件だ。そういうやつを見たら、誰もが助けたくなるし、応援したくなる」

五十嵐さんは、誰よりも仕事を成功させようと思っている。だからこそ、みんなが助けてくれるということだ。

「何かを達成するために、ぼくも人に頼るようにします。そして、人からも頼られるエンジニアになれるよう、がんばります」

五十嵐さんは、陽気に笑みを浮かべた。その笑顔は、まるでぼくへの励ましのメッセージのように心に響いた。

鉄則36 技術志向ではなく顧客志向を貫く

五十嵐さんのおかげで、暫定対処ではあるが、トラブルは収束に向かった。顧客は通常通りの業務ができるし、現時点ですべきことはない。ぼくは、ホッとして肩の力が抜けた。

「五十嵐さん、ちなみに、ストレージ交換になると大掛かりな作業になりますよね。今は部分的にクラウドと併用しているとのことですが、しばらくは不安定な環境ということですか?」

「いやいや、安定したクラウド基盤を使っているから、全く問題ない。むしろ、今のストレージを廃棄して、クラウドへ全面的に切り替える提案をするつもりだ。そのほうがコストも下がる。アプリケーションはすでにあるわけで、それをクラウドに移行するだけだから、1日で切り替えできる。

実は移行できるかのテストもすでに終わっている。ストレージの交換などせずに、今日からクラウド移行しましょう、ってことも可能なんだ」

この人は本当にすごい。

とはいえ、五十嵐さんはクラウドに特化した仕事をしていたと話をしていた。五十嵐さんにとっては当たり前のことなのかもしれない。

トラブルが収束してよかったのだが、ぼくには1つ気になることがあった。

ぼくは五十嵐さんに近づき、聞いてみることにした。

「そういえば、パワハラ通報サイトのメッセージが出るって、あれは何だったんでしょうか」

「誰かのイタズラだろ。それも直した」

「悪質な感じがしましたが、イタズラ、で片付けていいんですか？」

「それより、せっかくだからクラウド連携した新しい環境、後藤にも説明しておくわ」

誰のイタズラなのか、気にはなったが、「まあ、直ったならそれでいいです」と気にしないことにした。

細かいことを気にせず鈍感に。これも五十嵐さんから学んだことだ。

その時、佐原部長が出社し、サーバー室にやってきた。

「うわっ。佐原部長だ……！」

こちらに向かってくる佐原部長は、「寝ずに作業して直したんだろうな」というような威圧的な表情だった。

怖い！

だが、五十嵐さんは立ち上がり、パソコンを持ったまま佐原部長の元に駆け寄った。五十嵐さんがパソコンの画面を見せながら説明をするにつれて、佐原部長の表情はみるみる明るくなった。しかも、五十嵐さんに頭を下げている。トラブルを解決してくれたうれしさとともに、業者である我々へのねぎらいの気持ちが生まれたのかもしれない。

佐原部長が自席に戻る頃、他の社員もパラパラと出社してきた。我々は万が一、動かない場合に備えてサーバー室で待機することになった。待機するだけでなく、システムに問題がないかを改めてチェックした。トラブルで顧客が困っているのだから、できることはすべてする。それと、しっかりと作業をしている姿を見せることは、顧客への礼儀である。実際、春村さんは眠いながらも背筋を伸ばして姿勢を正し、パソコンに向かって黙々と作業をしている。ぼくも、ネットワークの通信をチェックしたり、サーバーなどのログを確認してエラーが出ていないかをチェックした。単調な作業だが、それも大事な仕事だ。

佐原部長がまたやってきた。表情は明るい。五十嵐さんは再び佐原部長に駆け寄り、しばらく話をする。そして、笑顔で頭を下げ、ぼくらのところに戻ってきた。

「佐原部長から動作確認オッケーと言ってもらった。撤収だ」

「でも、ストレージのハードメーカーとの調整、その後の顧客対応は……」

そう聞こうとした時、「おはようございます!」と元気な声が聞こえた。

エレベーターを昇ってきたのは、なんと、あの滝下だった。

「滝下! 一体、どうしてここに」

「昨夜は、任せて帰ってしまってすみませんでした。息子の誕生日で……」

「そうだったのか……」

「ここから先は、私が承ります! 五十嵐さんから引き継ぎを受けていまして、昼前にはストレージメーカーの保守作業員が到着します。お任せください。顧客に満足いただけるように進めます!」

服部課長といい、滝下といい、ぼくは他人の悪い面だけを見ていたのかもしれない。

「五十嵐さん、本当にもういいんですか?」

「ああ、ストレージの故障対応はメーカーの作業範囲だから、メーカーと滝下くんに任せよう。それに、佐原部長は、クラウドに切り替えて処理スピードが格段に速くなっていることに喜んでくれている。ハードの故障の対応はメーカーにやってもらうけど、今のクラウドの環境は快適だから、業務上も全く問題ないはずだよ」

「あの恐ろしい佐原部長が喜んでくれたのは、なによりです。五十嵐さんのトラブル対応の〝鉄則〟

が功を奏したんですかね？」

「ま、それはわからんけど、クラウドに移行したいから、すぐに提案してくれって言われた。新しい仕事を見つけたって感じだ」

五十嵐さんの話だけを聞くと、すごく簡単に交渉をしたように思える。しかし、佐原部長を説得できたのは、五十嵐さんの能力であることは間違いない。この短時間で解決をして、新しい提案までやってしまう。本当にすごい人だ。

それと五十嵐さんは、自分や会社のためだけでなく、また、技術志向でもなく、純粋に顧客志向でビジネスをしている。今回、たまたまクラウドという技術を使ったが、技術ありきで提案したのではない。顧客志向を追求する中で、それに最適な技術を組み合わせただけだ。

顧客志向を貫く。

だからこそ、顧客が信頼してくれるのだ。その結果、理不尽なことも言われなくなる。仕事から逃げずに、顧客が求めていることを提供する。シンプルだけど、ビジネスで大事なことを、ぼくは学ばせてもらったのだ。

鉄則37 技術力を生かすも殺すもコミュニケーション力

ぼくは、五十嵐さんの仕事がなぜうまくいくのかを、帰り支度をしながら考えていた。その要因として、技術力、顧客志向に加えて、高いコミュニケーション能力が寄与していると感じた。トラブルで怒られている状況で、次の提案をしてそれを受け入れてもらうなんて、なかなかできない。それに、顧客の強い押しに対して、引くところは引く。

加えて、ぼくや春村さんのような年齢が離れた人に対しても、上から目線ではなく、くだらない話で楽しませてくれる。

「五十嵐さんの一番の武器はコミュニケーション能力だと思います」

「そうかな？」

「はい、コミュニケーション能力って、技術力と違って正解がないと思うのですが、ＳＥにとって大事な能力だと改めて思いました」

五十嵐さんは大きくうなずいて、そうだそうだと言わんばかりに親指を立てた。

春村さんは、くすくす笑う。もう、五十嵐さんの性格にも慣れたみたいだ。

「言われ尽くしたことだが、ＳＥに求められる最も大事な能力は、コミュニケーション能力だ。それさえあれば、技術力なんてちょっとしかなくても仕事が回ってしまう」

「そう思います」

「逆に、コミュニケーション能力がないやつは、卓越した技術があっても、それを相手に伝えることすらできない。結局は宝の持ち腐れになる」

「ぼくは技術力だけで勝負したかったんです。その固定観念が駄目だった気がします」

「その程度の技術力でか？」と五十嵐さんは厳しい。

「そんなことないと思いますよ」

春村さんが笑顔でフォローしてくれた。

ぼくたちは身支度を終わらせ、受付で挨拶をした。つい、笑顔になる。

そして、顧客のオフィスを出てエレベーターに向かった。

ぼくは、五十嵐さんともっと話をしたかった。だから、オフィスを出たあとも、歩きながら話を続けた。

「ちなみに五十嵐さんは、どこでコミュニケーション能力を鍛えたんですか？」

五十嵐さんは、よくぞ聞いてくれた、という表情を見せる。すぐに答えを言わずにもったいぶり、「聞きたいか？」という表情を浮かべる。

エレベーターの下矢印のボタンを押したあと、「え、早く教えてくださいよ」とぼくは急かした。

すると、五十嵐さんは得意げな顔をした。

「学生時代の合コン」

あー、余計なことを聞いてしまった。ぼくは、がっくりとうなだれた。

そこからエレベーターの中で、五十嵐さんの合コンの話が始まった。春村さんも、今度は苦笑いだ。

「いいか、合コンは、初めて会う女性と、会話を盛り上げる必要がある。制限時間はわずか2時間ほど。これって、めちゃくちゃ難しい。それを毎週やっていたら、コミュニケーション能力も高まるってわけだ」

「毎週ですか？」

「週3のときもあったかなぁ」

五十嵐さんは、まるで中学生のように無邪気な笑顔を見せる。

エレベーターを降り、地上に戻ってきた。春村さんは眼鏡をはずし、外の風を受けて、スッキリしたような顔をしていた。

「五十嵐さん、ちなみに、今のこの時間、クラウドを使っているんですよね。五十嵐さんの会社が契約しているクラウドサービスですか？」

「そうなんだ。結構な費用が発生しているから、あとでお前の会社に請求するよ」

会社のルールで、先に決裁を受けないと費用の支払いはできない。しかし、その固定観念で仕事を進めると、顧客のシステムは正常に動作しないままになってしまう。五十嵐さんは常に柔軟に物事を考え、どうやったら顧客が喜ぶか、それだけを考えている。社内処理のルール違反なんて、服部課長に事情を説明して、本気でやれば何とでもなる。

「五十嵐さん、ぼくがその社内処理をやっておきます」

「おう、頼んだ」

五十嵐さんが笑顔を返してくれた。五十嵐さんに「頼んだ」と言われると、なんだか誇らしい気分になる。

ビルの外に出たぼくたちは、太陽のまぶしさに手を覆いながらも、外に出られた喜びに浸った。

「風が気持ちいいな」

「徹夜明けの体に染みますね」

「サーバー室、寒かったですから」

「本当ならビールでも飲みたいところだが、眠いし、帰って寝るか」

「はい、そうしましょう」

ぼくは妻にＬＩＮＥを送った。

『あと30分くらいで家に着く』『五十嵐さん、最高な人だった』

「がんばってくれたみんなにコーヒーくらいごちそうするよ」

ビルの外に出たぼくたちは外に出られた喜びに浸った

そう言って五十嵐さんは近くにあった自販機を指さし、「あれだけど」と笑った。

五十嵐さんは1000円札を入れて、「さあ、好きなのを」と言った。ぼくと春村さんはそれぞれ自販機のボタンを押した。

お釣りが出てくるが、五十嵐さんはそれを数えている。

「え、五十嵐さん、O型のくせに自販機のお釣りを数えるんですか？」

「オレ、O型なんて一言も言ってないぞ」

「え、もしかして、A型ですか？」

「悪いか」

「全然わかりませんでした」

「血液型の話になると、いつも悪口を言われる。『あなたは自己チューだから絶対にB型だ』とか、『A型だ』と言っても『再検査したほうがいい』とか」

「それはひどいですね」

そう言いながらも、ぼくでも同じことを言うと内心思った。

「それだけじゃない。『あなたみたいにガサツでA型ってあり得ないから、血を入れ替えて血液型を変えたほうがいい』とまで言われた。本当にイラっとするんだ」

それで血液型は言わなかったのか。まあ、ぼくの気持ちは晴れ晴れとしていて、そんなことはどうでもよかった。

「ぼく、今の会社でがんばりますが、仕事はきっちりやりながらも、少しだけ大ざっぱさを持つようにします」

五十嵐さんは引き締まった表情で、ぼくに「グ」と親指を立てた。

エピローグ

五十嵐さんが、ふと、真面目な顔になった。

「ところで、春村さん、なんであんなイタズラしたの？」

春村さんは、一瞬息をのんでから答える。

「……何の話ですか？」

「もう、わかっているんだから、いいんじゃない？」

ぼくも、何の話かわからずに、五十嵐さんの目を見る。

「五十嵐さん、どういうことですか？」

「ＰＩＮコード。いわゆるパスワードだ。春村さんのパソコンの画面のロック解除、ＰＩＮコードが３７８７だった。集中して君の手元を見たらすぐにわかる。だから、最初から君を疑っていたよ」

春村さんは下を向いて黙り込んだ。

「３７８７って、どっかで聞いた番号ですね」

ぼくは会話に入りたかった。仲良くなった春村さんが一方的に責められているように感じ、黙って聞いていることができなかった。

「あ、そうだ、あのパワハラ通報のメッセージを消すパスワードですね。え、なんで？　どういうことですか？」

ぼくは五十嵐さんと春村さん、２人の顔を交互に見た。

「自殺したとネットにあった女性、光菜と書いて、『ミナ』。そして、君の名は春菜と書いて、『ハナ』。だからパスワードはお姉さんと君の名前で３７８７（ミナハナ）」

どういうこと？

ぼくは驚きのあまり、何も言葉を発することができなかった。

五十嵐さんも春村さんも黙ったままだ。

遠くで電車が通る音がする。

どれくらい沈黙が流れただろうか。

しばらくして、春村さんが静かに口を開いた。

「パスワードを名前にするって、セキュリティー的には駄目ですね」

「やっぱりそうか」

「でも、気づいてほしかったんです。私のことも、そして、姉のことも」

つまり、今回のトラブルは、春村さんがやったってこと？

お姉さんが自殺したから、その復讐(ふくしゅう)に？

春村さんに何か裏があると思ったのは、そういうことだったのか……。

「あのメッセージは春村さん、君が作った。君は、負荷過大でアプリケーションが動かなくなったら、アラートを出すようにメッセージを出そうとした。アプリケーションを監視し、もし応答がなければ起動するようなプログラムを作るなんて、君なら簡単なことだろう」

「そうですね……」

「最初は、『アプリケーションを再起動して、しばらく時間を空けてから処理してください』というメッセージだった。それをなぜか、パワハラ通報に変えた」

「五十嵐さん、解析されてましたもんね」

春村さんは、これ以上隠し事はできない、そんな表情をした。

すこしほほ笑んだ顔は、「どんな罰を受けても構わない」という顔でもあった。

「ネットを見たかもしれませんが、私の姉は山田光菜。美人で優しい本当に自慢の姉でした。姉へのパワハラが許せなかったんです。だから、社長に仕返しをしてやりたかった」

「社長を訴えるとかは考えなかったの？」

「証拠を集めて、因果関係を明確に証明できないと、絶対に勝てないって言われました」

「そうか……」

「だから、この会社の保守員として潜り込んだんです。メールとかに履歴が残ってないかと思って」

春村さんは下を向いたまま話を続けた。

ぼくは、チラッと五十嵐さんを見る。表情は読めなかった。でも、同情していることだけは伝わってきた。

「姉とは仲がよかったので、いろいろな会話をしました。私がシステムに詳しいから、システムの話をすることもありました。保守を請け負っている会社の名前も聞いていたんです。そこからこの会社に派遣してもらいました。私はもともとＩＴの仕事をしていて技術もありました。だから転職は簡単でした。この会社は保守作業者への待遇もよくなくて半年持たずにみんなやめていきます。私が手を挙げたらすぐにこの会社に派遣されました」

「それで〝スパイ活動〟の成果はどうだったの」

五十嵐さんがいたずらっぽくも真剣に聞く。

「さんざん探したんですが、私の姉が助けを求めたＳＯＳのメール、社長からの叱責のメールなど直接の証拠になるデータはすべて消されていました」

「おそらく消させたんだろうね」

「でしょうね。気が済まないので、サーバーを止めてやろうかとすら思いました。この会社の人、セキュリティーの意識が低いせいか、保守用管理者に全権限を与えたＩＤを割り当てているんです。ご丁寧にもそのＩＤとパスワードを保守手引書に印刷してます。これじゃあ内部犯がいたら、簡単に攻撃できます」

「たしかに甘いね。そもそも保守用ＩＤとパスワードがみんなで共用なんてあり得ないとオレも思ったよ」

「私はシステムを停止することも、データを書き換えることも、全部のデータを消すこともできました。バックアップごと消せば会社は困ったはずです。そうしたかった。でも、そんなことしたら何の罪もない社員やこの会社の顧客に迷惑がかかる。だから、できなくって……」

五十嵐さんは、苦悩の表情を浮かべて黙って聞いていた。ぼくもただ聞くことしかできなかった。

「ただ、少なくとも、これ以上のパワハラ被害者を出したくなかった。姉のときがそうだったんですが、注文が増えると忙しくなるし、クレームも増えます。社長はクレーム処理を押し付けますから、姉のようなパワハラの被害者も増えます。だから、注文が増えて負荷が増えたら、警告を出すようにしたらいいと考えたんです」

「それでメッセージか」

「はい。私は保守ベンダーなので、販売システムのアプリケーションの改修はできません。サーバーの使用率を監視して、システムの利用率が上がる、つまり社員が忙しくなったらメッセージを出す仕組みを考えました。最初は、社長の悪口を出そうかとも考えたんです。だけど、そんなことより、パワハラの解決に結びつく、パワハラ通報サイトのリンクを出すのがいいと思ったんです」

「ログを見たら、その仕掛けを作ったのは3カ月以上前だったが」

「はい、今回のトラブルとは関係ありません。実はメッセージが発動しないレベルの閾値設定にしていました。自分がやっていることが正義なのかがわからなくなって……。自分のパスワードを入れると消えるようになっていたのも作業途中だったからです。これまでメッセージが出ることはありませんでした」

「だけど、今回のストレージ故障で発動してしまった」

「はい、私もびっくりしました。実は、自分でもそんなものを仕込んだことを少し忘れていたんです」

「なるほど、予期せぬハードの故障がメッセージの表示を誘発したわけか。まぁちょっとした事故だな。そんなことだろうと思って顧客には愉快犯のサイバー攻撃じゃないか、くらいに報告しておいた」

「気を使ってくださったんですね、ありがとうございます……」

と春村さんは顔を上げた。

五十嵐さんは軽く頭を下げながら「トラブル対応でずいぶん助けてもらったからね」と告げる。

ぼくも、慌てて同じように軽く頭を下げた。

春村さんは、ぼくたちにすべてを語ってくれた。

「連絡を受けて、メッセージをすぐに止めることはできたんです。でも、ログを見たら、トラブルが起きてほんの1時間ほどで、その画面からパワハラを通報する人が30人以上もいたんです。これは、閉じたら駄目だと思ったんです。なんとか社員の声がもみ消されないようにしなきゃって考えていました」

「そこにオレたちがやってきた」

「はい。今回は、社長のパワハラを世間に認識してもらい、やめさせるチャンスだったんです。でも、五十嵐さんが来られて、この人たちに見つかるって思いました」

ぼくは、ハッとする。

すべての謎が解けていくような気がした。

「そうか。だから帰らなかったのか」

「はい……。外に出られるカードがあったので、いつでも帰宅はできました。だけど、見張ってておかなくちゃって……。でも、五十嵐さんの技術力を見てすぐ、これは間違いなくバレるって覚悟しました。その事実を報告されたら私はクビになる。そうなれば、もう復讐できない。今しかチャンスがないと思って、メールを送りました」

「バックアップサーバーの中に、長時間労働の勤務実態とか、社長のパワハラの実情がわかるメール履歴をまとめた圧縮ファイルがあった。あれを送ったんだね」

「はい。パワハラの実態を通報するだけじゃなくて、証拠もいるじゃないですか。だから、パワハラ通報サイトに匿名で資料を送りました」

ぼくは言葉を発することができなかった。春村さんがやったことが正しいのか間違っていたのか、ぼくにはわからなかった。

「ちなみに、五十嵐さんは、ログを見て私が犯人だと確信しましたか?」

「ま、解析をしたから、サイバー攻撃なのか、内部犯なのかはすぐにわかるよ。実は、春村さんが追加の攻撃を仕掛けてくる可能性も想定して、なにか操作があったらすぐログがオレのところに来るようにしていた。でも君はトラブル解決に専念してそんなそぶりも見せなかった。オレはそれで『この子はまっとうなエンジニアだ』って思ったんだよ」

「そんな……」

「実際、君がやってくれた分析が、今回の故障発見に大きく役立った」

春村さんの目が潤んだ。自分のことを認めてもらったことが、うれしかったんだろう。

「パワハラ通報サイトにファイルを送ったのは外に出た時じゃないかな。社内でなにかやったらログに残る。オレがその通信をシステム的に止めるかもしれない。なにか行動をするなら外に出るしかないと思っていた」

「あっ。プリン買ってきてくれた時！」

春村さんトイレが長いなって、余計な心配をしていたことをぼくは思い出した。

「そうそう。たぶん、オレたちのことも最初は信頼していなくって、だから外に出られることも黙っていた。だけど、オレたちのことを少しずつ信頼してくれて、何か気持ちの変化があった。そして、吹っ切れてファイルを送った。そして、オレが見逃したお礼にプリンを買ってきた、そんなとこだろ」

「五十嵐さんのおっしゃる通りです」

「やっぱりそうか」

「私、おふたりの話を聞いて、復讐に生きるよりも、エンジニアとして自分の人生を有意義に生きたいと思いました。でも社長を許せない気持ちも捨てきれなかったのでパワハラ通報サイトに情報を流して気持ちの区切りをつけようと思ったんです」

五十嵐さんの話でぼくは勇気づけられたけど、春村さんも同じく勇気づけられたんだ。

「五十嵐さんがおっしゃった通り、外に出て送ったのは、社内にログが残らないようにするためです。でも、私がやったことはやっぱり犯罪だと思います。五十嵐さんに知られてしまった以上、責任は取るつもりです」

春村さんはそう言って、きゅっと唇をかみしめる。

ぼくは、どう言えばいいのか迷った。何を言えばいいのかすらわからない。


口を開いたのは、五十嵐さんだった。

「まあ、いいんじゃないか。そもそもパワハラなんていいはずがないわけだし、パワハラの通報自体は公益通報者保護法で守られる。実はログもきれいにしてある。オレは春村さんがなにをやったか知らないし、何も聞いてないよ」

五十嵐さんはそう言ってほほ笑んだ。

春村さんは涙をこらえきれず、立ち止まった。そして五十嵐さんとぼくを見た。

「姉に連絡します。そして前を向いて生きます」

「え、お姉さんって、あれ、お亡くなりになったんじゃ？」

ぼくは春村さんの言っていることがよくわからなかった。

「いえ、生きてますよ。死んだなんて言いましたっけ？」

「あれ、言われたような……。それに、ネットにも自殺したって」

「ネットは嘘の塊です。後藤さんも、そう言われていましたよね」

「あ、いや、言ったかな？」

「実際、クレームの責任を押し付けられ、全人格を否定され、自殺未遂はしたんですが、私が発見して、運よく助かって」

「そうか……」

大事な姉が自殺未遂する現場を見るというのは、春村さんにとって深刻な心の傷になったに違いない。復讐をしたくなっても、仕方ない。

「たしかに、姉はその後も体調が戻らず、入退院を繰り返していました。でも、今は少しずつ元気になっています」

ぼくは少しホッとした。

「そうだ。今日、お姉ちゃんの家に泊まろっと。今日のこと、全部聞いてもらうことにします」

春村さんは涙を流しながらも、無理やり笑顔を見せようとした。

五十嵐さんは、その話を聞きながら、「オレたちは春村さんの味方だから」と小さな声で言った。

ぼくたちは、しばらく無言のまま、駅に向かった。

ぼくは春村さんに声をかけることができなかった。なんて声をかけていいかわからなかった。

苦し紛れに、五十嵐さんに話題を振った。

「そういえば、今日の仕事って、五十嵐さん、なぜ手伝ってくれたのですか？　今は独立してコンサルの仕事に専念されているのでは？」

服部課長が裏で、操り手となっていたのかどうかも確認したかった。

五十嵐さんは「そういえば」と言ってきた。「報告があるんだった」

「なんですか？　あ、その年で再婚ですか？」

「いや、それは2年前にした」

「聞いてませんよ！」

「今日会ったばかりで、そんな話をするかよ。それよりな、オレ、来月、後藤の会社に戻るんだ」

「ええっ」

一体、どういうことだ。とてもうれしいけど、驚きのほうが勝っていた。

「XTシステムズでもクラウド事業を広げているだろ。だから、今、オレが独立してやっているような仕事を一緒にやりたいって、社長から言われた。そんな話を社長から受けて、実はちょっと前からすでにお前の会社のメンバーとクラウド事業で連携を始めていたんだ」

「本当ですか」

「さっきも言ったように、独立したからできたこともあったけど、大きな会社でしかできないこともある。大きな案件は個人事業主ではできない。今、オレがやりたいことは、お前の会社に戻って、みんなと一緒にクラウド事業を進めていくことだ」

「全然知らなかったです……。でも、五十嵐さんの近くで仕事ができるなんて、チャンスです。それに、我が社がクラウドなんて。時代に合わせて変わっているんですね。うれしいです。ぼく、絶対にがんばります！」

「おう。がんばろうな」

「今日は本当に、ありがとうございました。SEとして大事なことを教えてもらいました。SEの教科書で勉強した感じがします」

「SEの教科書か……。教科書なんてないんだけどな。価値観も、やり方も、人それぞれだから」

「はい、それも理解しています」

「でも、真面目な話、後藤には自分の気持ちを素直に表現できる力がある。上っ面じゃなく、本音でぶつかってきたから、オレも本音で返した。そういうやつは、嫌いじゃない」

もしかして、五十嵐さんはぼくのことを褒めてくれた？　そんなふうに考えると、心がふわりと軽くなった。服部課長がぼくの退職を防ぐために五十嵐さんを利用したかどうかなんて、もはやどうでもよくなった。

ぼくはつい興奮して、勢い込んで聞いた。

「ちなみに、五十嵐さんの新しい役職は何ですか？」

「えーと……一応、執行役員だ」

「役員待遇ってことですね。退職時から、給料大幅アップじゃないですか！」

「すぐ金の話になる……。前言撤回。そういうやつは嫌いだ」

五十嵐さんは、嫌いと言いながらも、きっとぼくのことが好きなはずだ。

「いいか、後藤、金じゃないんだよ。サーバー室でも言ったけど、仕事は、誰とやるかが大事なんだ。——と、いうわけで」

五十嵐さんは、ぼくの肩に腕を回した。

「これからもよき仲間として、よろしく頼む」

「はい、こちらこそ！」

「おう」

そして、空いている方の手でがっちりと握手させられる。

ぼくの言葉に五十嵐さんは笑顔を見せた。そして春村さんを見つめる。

「春村さん、今、クラウド新事業の開始にあたって、人材を募集しているんだ。一緒に働かないか？」

「え、本当ですか」

「今日、一緒に仕事をして、君の誠実な対応だけでなく高い技術力を見て一緒にやりたいと思った」

「でも、私、内部告発者ですよ」

「え、何かしたのか？　オレは知らないけどな、後藤」

五十嵐さんの声に、ぼくもとぼける。そう。ぼくらは何も見ていない、知らないのだ。

「はい、ぼくも一切知りません」

「もう……」と、春村さんは泣き笑い顔だ。

そんな時、ＬＩＮＥの着信音が鳴った。

「あっ。まずい！」

「なんだ？　後藤？」

「『渚がパパの帰りを待つって、玄関でずっと座ってる』って妻からです」

30分で着くって言ったのに、もう45分が経過している。

「渚、渚……。すぐに今から帰るからね！」

「おーい、後藤……」

五十嵐さんの声が遠くに聞こえる。ぼくは、電車に向かって、すでにダッシュを始めていた。

朝の光が、ぼくらを照らす。ぼくらの行く先は、そのすべてが、明るい気がした。


（了）

BLACK
COFFEE ★ COYOTE

参考文献

▼本書内で使用した著名人のコメント、意見は以下の書籍・Webページから引用しました（初出順）

第2章

鉄則10 畑邊康浩「登 大遊『イノベーションは"いんちき遊び"から生まれる』」MIT Technology Review、2021年8月30日（角川アスキー総合研究所）▼https://www.technologyreview.jp/s/254889/the-genius-programmer-says-innovation-is-born-from-playfulness/

第3章

鉄則12 森永卓郎『増補版 年収300万円時代を生き抜く経済学 雇用大崩壊！自分らしい生活を送るために』2019年2月1日（ゴマブックス）

鉄則15 「Code of Conduct」Alphabet Investor Relations（Alphabet）

▼https://abc.xyz/investor/other/code-of-conduct/

第4章

鉄則16 NHK取材班『NHKスペシャル グーグル革命の衝撃』2007年5月1日（日本放送出版協会）

鉄則18 原田泳幸『とことんやれば、必ずできる』2005年4月23日（かんき出版）

鉄則19 林真理子『野心のすすめ』2013年4月18日（講談社）

第5章

鉄則22 井上篤夫『志高く 孫正義正伝 決定版』2021年8月11日（実業之日本社）

鉄則24 ビル・ゲイツ『ビル・ゲイツ未来を語る』1995年12月1日（アスキー）

鉄則25 松下幸之助『道をひらく』1968年5月1日（PHP研究所）

鉄則25 川岸徹「佐藤二朗が俳優になった分岐点は、リクルートを就職1日目で辞めたこと!?」GOETHE、2022年

8月13日（幻冬舎）▼https://goetheweb.jp/person/article/20220813-jiro-sato-2

鉄則26　黒田博樹『決めて断つ』２０１２年４月21日（ベストセラーズ）

第6章

鉄則29　秋元康『趣味力』２００３年４月11日（ＮＨＫ出版）

▼そのほか執筆全般で、以下の書籍・Ｗｅｂページを参考にしました（順不同）

・小林弘幸『「ゆっくり動く」と人生が変わる 副交感神経アップで、心と体の「不調」が消える！』２０１２年11月５日（ＰＨＰ研究所）

・樋口泰行『「愚直」論 私はこうして社長になった』２００５年３月４日（ダイヤモンド社）

・モーニング編集部『40歳の教科書 親が子どものためにできること ドラゴン桜公式副読本「16歳の教科書」番外編』２０１０年７月23日（講談社）

・髙塚猛『自分と未来は変えられる』２００２年１月31日（かんき出版）

・Ｂ－ｉｎｇ編集部『プロ論。３』２００６年12月15日（徳間書店）

・岡本太郎『自分の中に毒を持て－あなたは〝常識人間〟を捨てられるか』２００２年１月１日（青春出版社）

・山中伸弥、緑慎也『山中伸弥先生に、人生とｉＰＳ細胞について聞いてみた』２０１６年５月20日（講談社）

・ＮＨＫ「仕事学のすすめ」制作班『秋元康の仕事学』２０１１年５月24日（ＮＨＫ出版）

・川崎博則「登大遊氏が語る『おもしろインチキ ＩＣＴ 技術開発』の重要さとは」さくマガ、２０２１年９月22日（さくらインターネット）▼https://sakumaga.sakura.ad.jp/entry/nobori_daiyuu

・ネクストモード株式会社「前編：【登大遊】経営者向けセミナー『なぜ日本からＧＡＦＡが生まれないのか』」２０２１年９月30日（YouTube）▼https://www.youtube.com/watch?v=Uww1CZTXfXs

あとがき

「自分を知る」

これは、「カッコいい大人でいるために日々心がけていることは何ですか?」という質問に対する、B'zの稲葉浩志さんの言葉です(「B'z OFFICIAL FAN CLUB SITE『be with!』vol・137」より)。

かっこいい大人だけでなく、自分らしく生き、そして、幸せになるために、「自分を知る」ことは、とても大切なことだと思います。

この本の主人公である後藤智彦の場合、自分がどういう人間で、長所や短所は何か、何に満足して、どこでストレスがたまるか、それをわかっていませんでした。感じ方は人それぞれです。例えば、出世して課長になることに喜びを感じる人もいれば、逆に、自分のやりたいことができなくなって不幸と感じる人もいます。自分は管理職になりたいのか、そして、それがなぜなのか、自分の価値観を理解しておくことが大事です。後藤のように、「周りの人よりは出世したい」と安易に考えて出世をしても、逆に不幸になってしまう可能性があります。後藤の性格からすると、「調整業務ばかりでやりがいのある仕事ができない」「娘との時間が取れない」などの不満を、五十嵐さんに漏らしていたことでしょう。

皆さん、人事部や上司との面談のときに「あなたの短所は?」と尋ねられたことはありませんか? 私は若い頃に聞かれました。短所なんて言いたくないし、なんで聞くんだ? と思いました。短所を直すより長所を伸ばすほうが何百倍、何万倍も大事だとその時は考えていました。その信念に変わりはないですが、一方で自分の短所を理解する大切さも今はわかります。短所を理解していれば、苦手な領域を避けたり、短所が露呈しないようにできたりして、長所を生かすように仕事ができるからです。

後藤の欠点は周囲と自分を比べ過ぎることです。それが頭の中をかけめぐり、他人の昇進、給料などを気にし過ぎて、自己肯定感が必要以上に下がっていました。五十嵐さんはそれに気づいたから、「ナンバーワンになれ」と彼にアドバイスしたのです。まずは社内限定でも、あるいは特定の製品やサービス、技術に限った形でもよいから、その場所でナンバーワンになる。すると、自己肯定感が高まり、周囲との比較から解放され、彼が成長するきっかけになると考えたのです。この物語の後、後藤がどんな活躍をしたのかはわかりませんですが、少なくとも、物語が始まった時点よりはずっと前向きに仕事をしてくれているはずです。

では私の場合はどうかというと……

物語では、システムエンジニア（ＳＥ）が求めているのは「成長欲求」と「貢献欲求」だと書きました。私の場合はそれに加え、誰かに認めてもらいたいという承認欲求が非常に強いのが短所です。加えて、承認されないとストレスがたまる厄介な性格です。だからＳＥとしての仕事の合間を縫って、雑誌やＷｅｂで記事を書いたり、本を書いたりしています。「すごい作家だ」と褒めたたえてほしいと考えるほどずうずうしくはないですが、「本を書いたんだ。がんばったね」「参考になった、役に立った」と言われるのは励みになります。お母さんに褒めてもらいたい幼稚園児かよと自分でも思いますが、こんな私のために、ぜひこの本を読んで感想をお寄せください。

私も年齢を重ねて、若い頃のような体力や記憶力、精神力はなくなってきたなと感じる日々です。ただ、自分を知り、自分が活躍できるように、自分自身の座標軸で仕事をする。そうすることで、すごく仕事が楽しくなりました。少しだけですが、以前より成果を出せるようになった気もします。

最後になりますが、この本をきっかけに、皆さんがエンジニアとして、よりイキイキと活躍していただければ、著者としてこれ以上の喜びはありません。

2023年5月

左門 至峰

著者略歴

左門 至峰（さもん しほう）
システムエンジニア
株式会社エスエスコンサルティング代表取締役

システムエンジニアとしての本業に加え、IT 系資格、セキュリティー技術・運用などの分野で書籍、雑誌記事を執筆。オリジナルコンテンツを用いたセミナーなどで多くの後進を育てる。IT 系資格の試験対策、セキュリティー機器の活用ハンズオン、新人向け IT 基礎研修などの講師として実績と定評がある。

著書多数。『日経クロステック』『日経 NETWORK』（日経 BP）や『Think IT』（インプレス）などで記事を執筆。保有資格は「ネットワークスペシャリスト」「プロジェクトマネージャ」「IT ストラテジスト」「システムアーキテクト」「技術士（情報工学）」「情報処理安全確保支援士」「テクニカルエンジニア（データベース）試験」「セキュリティ プロフェッショナル認定資格制度（CISSP）」など。

ぼく、SEやめて
転職したほうがいいですか？

2023 年 6 月 19 日　初版第 1 刷発行
著　者　左門 至峰
発行者　森重 和春
発　行　株式会社日経 BP
発　売　株式会社日経 BP マーケティング
〒 105-8308　東京都港区虎ノ門 4-3-12
イラスト　冬乃 郁也
校　閲　聚珍社
編　集　山田 剛良
デザイン・制作　ハナデザイン
印刷・製本　図書印刷

ISBN978-4-296-20261-4